欢悦庆升平

公历二〇一六年

故宫日曆

故宫出版社

封侯纳祥

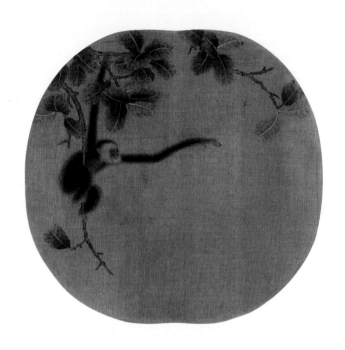

宋 佚名 蛛网攫猿图页

　　此图是原清宫内府所藏《烟云集绘》册中的一页，图绘猿攫取蜘蛛网的瞬间。构图富于机巧，通过猿的长臂不仅引导出蛛网，而且将左右画面连接起来，增强了画作的整体感。

星期五

一月一日

元旦

农历十一月廿二

今日元旦　六日小寒

孟法师碑

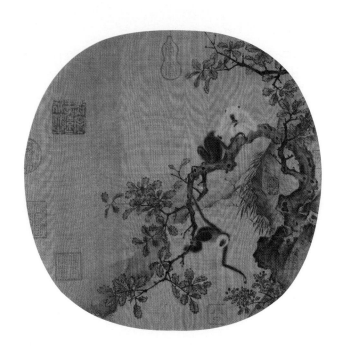

宋　佚名　猿猴摘果图页

　　此图是《宋元集册》第二本中的一页。作者仿北宋名家易元吉的笔意，刻画猿在树上摘果、食果的动态，准确生动地表现出它们灵活矫健的动姿和聪明顽皮的神态。此图由清初著名私人收藏家耿昭忠珍藏。

星期六

一月

二

日

六日小寒 十七腊八

农历十一月廿三

晖福寺碑

SATURDAY, JAN 2, 2016

元　佚名　群猿摘果图页

　　此图是原清宫内府所藏《四朝选藻》册中的一页。它与宋人《猿猴摘果图》页从构图到笔法，甚至猿猴的举止动态、树石的形态等基本一样。它们虽然并非是易元吉亲笔之作，但是，皆深受易氏画风的影响。此图由乾隆内府收藏。

星期日

一月

三日

农历十一月廿四

六日小寒 十七腊八

敬史君碑

SUNDAY, JAN 3, 2016

明　佚名　松猴图轴

　　此图的布局分上、中、下三个部分。下部是三只临水而坐的猴子，其中一母猴怀抱小猴抬头仰望；中部是空景；上部绘两只小猴在悬崖边玩耍，其中一只攀于树上正向下俯视，它与仰视的母猴形成有趣的互动，彼此之间默默交流的目光，成为连接上下部分的无形气韵，使得全图浑然一体，被一种无言的母爱所笼罩。

星期一

一月

四

日

六日小寒　十七腊八

农历十一月廿五

赵郡王修寺碑

MONDAY, JAN 4, 2016

清　冷枚　罗汉图册之白猿献桃页

　　牛头山法融禅师初到幽栖寺北面的山洞修行时，由于他具有超凡入圣的德行，以致百鸟衔鲜花来供奉他、群鹿卧石门听他诵经、虎狼等猛兽自动远离回避等。图绘猿猴主动前来献桃为他祝寿的情景。

公 历 二 〇 一 六 年 · 农 历 乙 未 年

星期二

五日

一月

农历十一月廿六

明日小寒 十七腊八

龍藏寺碑

清　佚名　雍正皇帝行乐图册页

　　雍正皇帝曾令御用画家创作多本表现其野逸生活的行乐像册，此幅是其中一开。图绘他与猿猴逗玩，获取桃实的情景。笔法工细，人物具有肖像画特征，表现内容虽少真实性，却充满了宫廷娱乐气息。

公 历 二 〇 一 六 年 · 农 历 乙 未 年

星期三

今日小寒 一候雁北乡

小寒

神策軍碑

一月六日

农历十一月廿七

WEDNESDAY, JAN 6, 2016

清　沈铨　封侯图轴

此图看似描绘的是猴在挑逗树上的马蜂，实际上，作者借助猴与"侯"、蜂与"封"的谐音，表达了企盼仕途顺畅、"马上封侯"的良好意愿。

星期四

一月

七日

农历十一月廿八

十七腊八　廿日大寒

鄭文公碑

THURSDAY, JAN 7, 2016

清　沈铨　鹿猴图轴

　　此图中的猴子蹿行在高高的柏树枝上，虽偏于画面上方，却和位居画面中心的双鹿同样引人注目。作者借助猴与"侯"、鹿与"禄"的谐音，表达了"高侯多禄"的美好愿望。

公历二〇一六年 · 农历乙未年

星期五

八

一月

日

十七腊八　廿日大寒

农历十一月廿九

道因法师碑

FRIDAY, JAN 8, 2016

清　沈铨　蜂猴图轴

　　图绘在草木茂盛、山泉湍急的郊外，一只小猴正在树上谨慎地用树枝捅马蜂窝，临溪的石台上群猴正小憩，它们闲散安逸的形态与捅马蜂窝的小猴紧张的神情形成鲜明的对比，增加了画作的诙谐幽默感。此图展现出作者以形写神的深厚功力，并且借助谐音，表达了"马上封侯"的愿望。

公历二〇一六年·农历乙未年

星期六

九日

一月

农历十一月三十

十七腊八　廿日大寒

平陳頌

今日三九第一天

SATURDAY, JAN 9, 2016

清　张问陶　双猿图轴

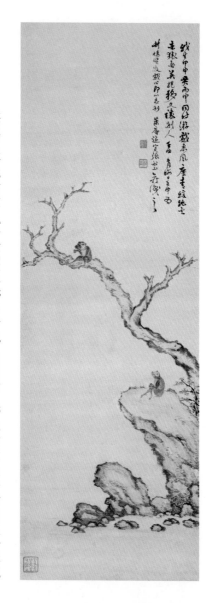

张问陶生于乾隆二十九年（1764年），号船山，四川遂宁人。乾隆五十五年（1790年）进士，曾任翰林院检讨、吏部郎中、山东莱州知府诸职。此图是作者送友人的画作。图绘两只猿分别在树上和石上，它们一高一低，一仰视一俯视，彼此相互凝望，表现出虽各在一方，却惺惺相惜的依恋之情。构图简约，笔墨含蓄，具有浓郁的文人书卷气。

公历二〇一六年 · 农历乙未年

星期日

一月

农历腊月初一

十七腊八 廿日大寒

十日

岳麓寺碑

SUNDAY, JAN 10, 2016

清 张问陶 枯木踞猿图轴

张问陶能书擅画，工于诗文。他因属猴，喜画猴猿，又自号"蜀山老猿"。此图是张氏晚年以猴自喻之作，图绘一老猴踞于枯木寒枝上，神色落寞，一副不得志的样子。

星期一

十一

一月

农历腊月初二

今日二候鹊始巢

玄静先生碑

MONDAY, JAN 11, 2016

清　慈禧皇太后　猴图轴

　　慈禧皇太后于理政之暇，喜挥毫作画。此图是她亲笔所绘猴吃柿子图，造型虽不准，线条也较平板，然颇具稚拙之趣。

公历二〇一六年·农历乙未年

星期二

一月

十
二

十七腊八　廿日大寒

农历腊月初三

根法师碑

清　王继明　松猿隔扇画页

　　此图是清光绪朝宫廷画家王继明为宫廷建筑内檐装修的隔扇绘的装饰画。宫廷画家在宫廷中担任的主要工作之一就是画用于装点室内环境的装饰画，其中给用于分隔空间的隔扇心作的隔扇画最多。画家们一般画造型简单的花草或者小景山水，以表现动物为主题的画作极少。本图绘一猴蹲于松树上，笔墨粗率，构图简约，属于作者的应付之作。

星期三

一月

农历腊月初四

十七腊八　廿日大寒

十三

房彦谦碑

WEDNESDAY, JAN 13, 2016

清 张恺等 人物寿字图轴（局部）

清同治、光绪朝重要的宫廷御用画家张恺等人，为祝慈禧皇太后五旬寿辰，在双钩的"寿"字内绘诸仙向西王母祝寿的场景，以此恭贺在人间同样拥有至尊地位的慈禧皇太后长寿万年。图绘白猿高举寿桃献寿，画风工细，设色艳丽，与祝寿的题材相契合。

公历二〇一六年 · 农历乙未年

星期四

十七腊八　廿日大寒

一月

农历腊月初五

玄林禅师碑

Thursday, Jan 14, 2016

清　张恺　群仙祝寿图册之白猿献桃页

　　此图是张恺为清皇室画的祝寿图册中的一开。其构思巧妙，屏风上绘波浪滔天、旭日东升，璀璨耀眼的太阳象征着勃勃生机，波澜壮阔的大海暗寓着福如东海。屏风前绘白猿跪地献桃，祝福寿星百龄眉寿，表达了福寿康宁之意。

星期五

一月

十

五

十七腊八　廿日大寒

农历腊月初六

善于寺碑

FRIDAY, JAN 15, 2016

清　张恺　群仙祝寿图册之白猿负桃页

　　此图绘身穿华服的寿星在悬崖边畅谈，一白猿送来巨大
寿桃的场景。白猿的出现不仅加强了祝寿的主题，而且其不
堪重负的背桃形象，也为画作增添了诙谐幽默意趣。

星期六

十六

一月

农历腊月初七

今日三候雉始雊

信行禅师碑

SATURDAY, JAN 16, 2016

清　许良标　群仙祝寿图册之白猿献桃页

　　白猿将有着长寿寓意的鲜桃献给老寿星，是传统的吉祥题材。此图页是清光绪朝宫廷画家许良标为皇室祝寿创作的《群仙祝寿图》册中的一开，以此表达延年益寿之意。

星期日

一月十七

玄秘塔碑

今日腊八 廿日大寒

农历腊月初八

SUNDAY, JAN 17, 2016

清　梁德润　群仙祝寿图册之白猿捧桃页

梁德润（生卒年不详，活动于19世纪后期），字诚斋，河北大成人。以笔法工细、设色艳丽的画风称旨，入值如意馆成为宫廷画家。此图是梁德润为清皇室画的祝寿图册中的一开。全图以青、蓝、紫、红、黄等色晕染，其鲜亮明快的色调使得该图于华美中见清新，于寿星的神仙世界中见浪漫的人间风情。

星期一

一月

廿日大寒 一日小年

农历腊月初九

张猛龙碑

今日四九第一天

MONDAY, JAN 18, 2016

清 任熊
姚大梅诗意图册之白猿渡水页

海派著名画家任熊曾依据好友姚大梅（名燮）诗意创作十本图册，合计一百二十开。此图依据的是『白猿如老人，倒骑三足龟』诗意所绘。图中猛浪若奔的水流，与白猿逍遥的神态、神龟悠闲的划水动作，形成强烈的审美对比，增加了作品的趣味性。

星期二

明日大寒　一日小年

十九

一月

农历腊月初十

李仲璇修孔廟碑

TUESDAY, JAN 19, 2016

清　任颐　桃猴图轴

这是一幅具有想象力的画作。硕果累累的桃树，其干呈若隐若现的『S』形，通过其粗壮的枝、繁茂的叶以及硕大的桃实，可以想象到它是一株充满活力的茁壮老树。图中的猴子侧身而踞，它专注的目光正盯向画外，唤起观者思考画外之意的想象力。

星期三

一月廿日

大寒

农历腊月十一

今日大寒 一候鸡始乳

迴元觀鐘樓銘

WEDNESDAY, JAN 20, 2016

清 任预 十二生肖图册之猴页

这是海派画家任预绘制的《十二生肖图》册中的一开，两只猴一高一低相互对视，其温情浪漫的举止，缩短了它们的空间距离。

星期四

一月

廿

一

一日小年　四日立春

农历腊月十二

端州石室记

THURSDAY, JAN 21, 2016

清　程璋　松石三猿图轴

　　这是一幅以物造势的成功之作。图绘凌空而下的飞瀑，气势磅礴。其两侧呈纵向走势的山石又助长了瀑布乱珠碎玉的气派。前景繁密的松枝，其向下的倾斜状宛如松波，与瀑布形成视觉上的呼应，亦增强了水流奔腾的气势。三只猿攀于松枝上，警觉地四下张望，显现出彷徨无助的神态。

星
期
五

一
月

廿

农
历
腊
月

一
日
小
年

四
日
立
春

二

十
三

兖 公 颂

FRIDAY, JAN 22, 2016

清 程璋 江猿吟翠图轴

程璋作为海派画家，善于表现自然界的动植物，注重中西画法的融合，讲究造型的准确和物象的立体感。此图绘猿在松木上栖息的夜景，皎白的月色和湍急的清溪，营造出"明月松间照，清泉石上流"的诗意氛围。

公历二〇一六年 · 农历乙未年

星期六

一月

农历腊月十四

廿三

高盛碑

一日小年　四日立春

SATURDAY, JAN 23, 2016

清　程璋　松猿图轴

此图成功地刻画了本性活泼好动的猿在听到鸟鸣时片刻安静的瞬间。它们专注地侧耳聆听的神态，被作者表现得惟妙惟肖。

星期日

一月

爨寶子碑

一日小年　四日立春

农历腊月十五

SUNDAY, JAN 24, 2016

近代 高剑僧 猴图轴

　　此画轴构图简单，没有繁复的衬景。作者通过母猴紧搂小猴的动作，将母亲呵护幼子的疼爱之情，表现得淋漓尽致，其所散发出的柔情爱意充盈了整个画面。

星期一

今日二候征鸟厉疾

廿五

同州聖教序

一月

农历腊月十六

MONDAY, JAN 25, 2016

近代　高奇峰　松猿图轴

猿的造型准确生动，于写意处又见其工，显示了作者对猿有着细致的观察和对笔墨技法的娴熟运用能力。此图与以猿猴为主要表现对象的宋法常《猿图》、明朱瞻基《戏猿图》等有着异曲同工之妙。

星期二

一月

廿六

农历腊月十七

一日小年　四日立春

樊興碑

TUESDAY, JAN 26, 2016

近代 刘用烺 双猿啸月图轴

　　图绘在月光如水的夜空下，两只猿踞于高山之上。它们虽然形体较小，但是造型准确，又处于画幅中醒目的位置，不失为画作中的主角。它们与皎洁的满月相呼应，营造出"朝云暮雨浑虚语，一夜猿啼月明中"的诗意。

公历二〇一六年·农历乙未年

星期三

一月

农历腊月十八

廿七

一日小年　四日立春

田公德政碑

今日五九第一天

WEDNESDAY, JAN 27, 2016

近代　张泽　丹枫白猿图轴

　　此图是张大千之兄张泽的代表作之一。图绘一只白猿怀抱幼崽踞于石上，仰首呼唤正捕捉马蜂的同伴。它们活泼的体态给寒秋中的自然景观增添了活力，同时展现了彼此关怀的温情诗意。因为蜂与"封"、猴与"侯"谐音，所以本图又具有加官晋爵的"封侯"之意。

星期四

一月

农历腊月十九

一日小年　四日立春

孟顯達碑

THURSDAY, JAN 28, 2016

近代　张泽　猿图轴

这是作者五十三岁时送给友人的画作。图绘一只顽皮的小猿在树上俯身捞勾藤蔓的情景。小猿的造型别具匠心，它下探时即将失去重心的体态，打破了画面的平衡感，增强了画作稳中具险的视觉效果，同时，显示出作者在对猿细致观察的基础上，以娴熟的技法表现其逼真形态的功底。

星期五

一月

一日小年　四日立春

农历腊月二十

廿九

西廟堂碑

FRIDAY, JAN 29, 2016

近代　张泽　白猿图轴

图绘一只白猿伸臂张腿，以单臂抓枝的姿势吊于枫树干上，其下潺潺溪水悄然流动，更加突显出白猿张狂与霸气的神态。据作者自题『黄山有白猿，相传为神物，不经见，所逢皆黄猿也』可知，其笔下的白猿当是想象之作。

星期六

廿日

一月

农历腊月廿一

今日三候水泽腹坚

嵩高霊廟碑

SATURDAY, JAN 30, 2016

近代　溥儒　猿图页

这是一幅意趣横生的写生之作，构思也极巧妙。图绘两只猿静静地踞于枫树干上，另一只猿则单臂抓树枝荡起全身，它的剧烈运动震落片片枫叶，飘落中的枫叶虽然体量较小，但是，它们上下错落的体势，起到了承接画幅中部与下部的重要作用。

星期日

一月

明日小年 四日立春

农历腊月廿二

廿一

石門銘

普天同贺

二月

明　成化皇帝　岁朝佳兆图轴

　　明宪宗朱见深，年号成化。此图是他在执掌皇权的第十七年（三十四岁）岁朝时所画，通过描绘擅长捉鬼避邪的钟馗及小鬼手捧托盘中的柏枝和柿子，来表达他在新年伊始的良好心愿。"柏"与"百"、"柿"与"事"谐音，合读为"百事"，它们与钟馗手持的"如意"连读，取"百事如意"的吉祥寓意。图中钟馗以粗笔写意，造型简括，生趣盎然，具有宫廷中盛行的浙派人物画风格。

星期一

二月一日

小秌

颜勤禮碑

今日小年　四日立春

农历腊月廿三

MONDAY, FEB 1, 2016

明　李士达　岁朝村庆图轴

　　此图是明万历朝进士李士达所绘的岁朝图。时隔二百余年，清乾隆皇帝观赏到此画，见图绘百姓丰衣足食的欢乐场景，特作诗题于画上，抒发"治民无别术，饥饱俾寒温"的感慨。

公历二〇一六年·农历乙未年

星期二

二月

今日世界湿地日

农历腊月廿四

二日

晖福寺碑

TUESDAY, FEB 2, 2016

明　袁尚统　岁朝图轴

　　袁尚统是位来自江南吴门地区的文人画家，他的作品以反映世相百态的风俗画而著称。此图是他八十七岁时所绘新年伊始民间贺岁场景，屋内三位长者同桌对饮，屋外童子点放爆竹，各得其乐。

星期三

二月

敬史君碑

明日立春　七日除夕

农历腊月廿五

WEDNESDAY, FEB 3, 2016

新篁館棗庶除夕博
古園之圖歲朝誌止
人言微微吉試辰物
泰儼桑詣
丁面翁正兩君郎版

甲申歲冬園粉扰筆餘度
寓意并奉全听歲撮瓶書
吳門張宏

明 张宏 岁朝图轴

　　画家们通常绘燃放鞭炮的场景以及清玩雅物、节令花卉、钟馗纳祥等题材来表现贺岁之禧。此图以对角线式构图，燃烧的炭盆为表现重点，衬以与"福"谐音的佛手以及水仙、柏枝等清物，希望来年幸福红火。

星期四

二月四日

立春

陸柬之書文賦

今日立春

一候东风解冻

世界癌症日

农历腊月廿六

THURSDAY, FEB 4, 2016

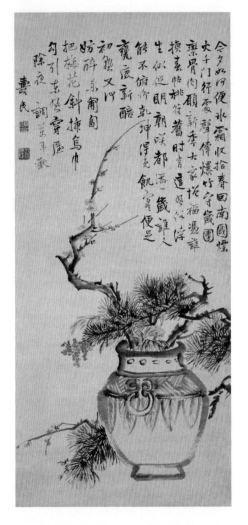

清　边寿民　岁朝图轴

令夕如何便冰霜收拾春回南国煙
火千门行复声催爆竹守岁围炉
棄骨肉颙新秊大家添福遗难
摸玄帖桃符舊时肯這双竹浮
生似偃朝瑛都添一箴谁人
能不俯作乾坤浮尼飢寒便己
竟底新醅
初然又阽
妨醉来剪窗
把梅花斜拣烏巾
匀引东风穿堀
除夜一調菜年黄
　　　壽民

作者构图巧于设置，通过上伸高扬的梅枝和下探盘曲的
柏枝，巧妙地填补了空白。其富有节律的高低错落变化，令
本是呆板的画面显得生动活泼，与岁朝欢庆的主题相吻合。

星期五

五日

二月

七日除夕 八日春节

农历腊月廿七

龍藏寺碑

今日六九第一天

FRIDAY, FEB 5, 2016

清 邹一桂 岁朝图轴

作者邹一桂是清雍正五年（1727年）的进士，也是乾隆朝重要的词臣画家之一。此图以典雅的笔墨表现了大户人家辞旧迎新的庆贺活动。图成后，邹氏将此精心之作献给了清皇室。乾隆皇帝亲笔题御制诗，以示恩宠。

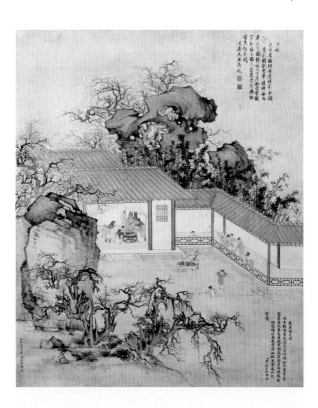

星期六

二月

六日

明日除夕　八日春节

农历腊月廿八

孟法师碑

SATURDAY, FEB 6, 2016

清 佚名
雍正皇帝十二月行乐图之一月图轴

　　汉民族历代相承的传统节日元旦、上元、清明、七夕、中秋、重阳等，在清朝的内廷中亦被延续，只是由于宫廷的特殊性，民间习俗入宫后变得繁琐、华贵和典制化。此图并非实景描绘，但是，仍然反映出雍正朝上元日，人们在宫苑内观花灯、猜灯谜等一系列活动的情景。

公历二〇一六年·农历乙未年

星期日

今日除夕　明日春节

岁除

唐人書靈飛經

二月七日

农历腊月廿九

SUNDAY, FEB 7, 2016

清　乾隆皇帝　乙亥岁朝图轴

能书擅画的乾隆皇帝几乎每年都绘岁朝图，预祝一年万事吉祥如意。其创作题材广泛，人物、山水、花卉、动物皆能，具有较全面的艺术修养。此图是他四十五岁（乾隆二十年，1755年）所作。描绘的是《斩鬼传》中，钟馗在蝙蝠的引导下提鬼避邪的故事。因为「蝠」与「福」谐音，所以又有「钟馗引福」、「福从天降」、「福在眼前」以及「洪福齐天」等良好寓意。

公历二〇一六年·农历丙申年

二月八日

春節

星期一

农历正月初一

今日春节

十九雨水

顏勤禮碑

MONDAY, FEB 8, 2016

清 乾隆皇帝 丙子岁朝图轴

同風

此图是乾隆皇帝四十六岁（乾隆二十一年，1756年）所作。梅花以『众芳摇落独暄妍』的品格、翠竹以高风亮节的特性，而被乾隆皇帝所青睐。此图以墨笔皴擦勾描的技法，生动地展示出梅花、翠竹清雅脱俗的意蕴。

星期二

二月

九

农历正月初二

日

今日二候蛰虫始振

平陳頌

TUESDAY, FEB 9, 2016

清　乾隆皇帝　癸未岁朝图轴

元阳进新和璃月勤序绩两事敬
威凤墓廉琅小真未宗凄榕西以後
罩枞偕益崇
天盾翅主曲卩力泛许玉七念懃胜莳
舍見休东由更坃常海砚翩翳
宫嘉天羊行囗咸阳砚鹣谐
癸未剁臣筝幸宫阳砚鹣谐
叶廖端本庆　御筆

此图是乾隆皇帝五十三岁（乾隆二十八年，1763年）所作。画有柿子、如意、水仙、花瓶、梅枝等，通过它们的谐音以及彼此之间的组合，形成吉祥语义，来表达其美好的愿望，比如，如意与谐音「事事」的柿子，合称「事事如意」，与谐音「平」的瓶子，合称「平安如意」，等等。

星期三

二月

十九雨水 廿二上元节

十日

岳麓寺碑

农历正月初三

WEDNESDAY, FEB 10, 2016

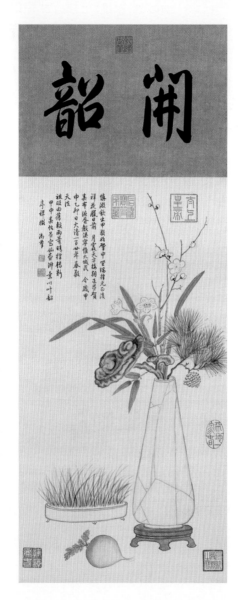

清　乾隆皇帝　甲申岁朝图轴

此图是乾隆皇帝五十四岁（乾隆二十九年，1764年）所作。带冰裂纹的花瓶中高低错落地插有灵芝、水仙、梅花和柏枝，全图设色淡雅，构图简洁，运笔工致，是乾隆皇帝的尽心之作。

星期四

二月

十九雨水　廿二上元节

农历正月初四

玄静先生碑

THURSDAY, FEB 11, 2016

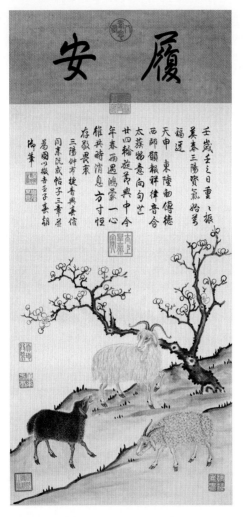

清　乾隆皇帝　壬子岁朝图轴

此图是乾隆皇帝八十二岁（乾隆五十七年，1792年）所作。他绘三只闲庭信步的羊，取"羊"与"阳"的谐音，企盼新的一年万事顺畅、"三阳开泰"、大吉大利。

星期五

二月

十九雨水 廿二上元节

农历正月初五

十二

根法师碑

FRIDAY, FEB 12, 2016

清　丁观鹏、郎世宁等
乾隆皇帝雪景行乐图轴

　　此幅岁朝行乐图表达了多种寓意，最直观的感悟是通过描绘童子点燃爆竹，意寓着"岁岁平安"；通过童子用柏树枝拨燃炭盆，寓意着"香霭一堂和气"；通过乾隆皇帝手持如意，预示着新岁平安如意从他开始。

星期六

今日世界无线电日

二月

农历正月初六

房彦谦碑

SATURDAY, FEB 13, 2016

清　丁观鹏、郎世宁等
乾隆皇帝岁朝行乐图轴

　　这同样是一幅由中、西画家共同创作的表现乾隆皇帝岁朝行乐的画作。擅长人物肖像写实画的意大利传教士郎世宁绘乾隆皇帝肖像，中国画家丁观鹏、沈源、周鲲等人画小童、房舍、树木。各具特色的东、西方绘画艺术风格，虽然在同一幅画上表现得不很统一，但是它终归是东西方文化的一次有机的交融，这也是乾隆朝宫廷绘画的一大特色。

星期日

二月

今日三候鱼陟负冰

农历正月初七

十
回

玄林禅师碑

今日七九第一天

SUNDAY, FEB 14, 2016

清　佚名　乾隆皇帝岁朝行乐图轴

　　由乾隆朝宫廷画家联手创作的表现乾隆皇帝岁朝行乐图
的画作有数幅,这是其中唯一描绘乾隆皇帝怀抱童子的画像,
其温柔的举止,显现出他身为帝王的同时,又有作为慈父的
一面。

公历二〇一六年·农历丙申年

星期一

二月

十五

十九雨水　廿二上元节

农历正月初八

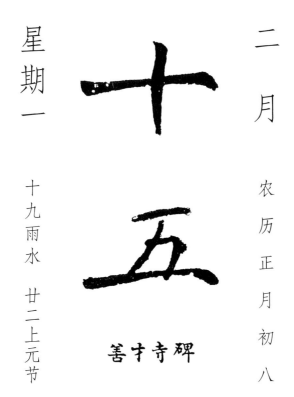

善才寺碑

MONDAY, FEB 15, 2016

清　佚名　乾隆皇帝古装行乐图轴

　　此幅乾隆皇帝岁朝行乐图与其他的同题材画作相比，有所差异：首先，建筑格局不同；其次，描绘的家具器皿不同。此外，它还刻画了众多娟秀清雅的女性形象，她们的翩翩而至，为画作增添了华丽的色彩和温柔的气息。

星期二

二月

十六

农历正月初九

十九雨水　廿二上元节

信行禅师碑

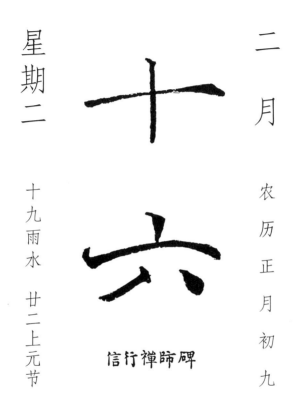

TUESDAY, FEB 16, 2016

清　佚名　万国来朝图轴

　　乾隆皇帝为了炫耀清王朝强大的国力，谕令宫廷画家以想象的手法创作了数幅描绘外国使臣在中国的新年岁朝之际，前来紫禁城朝贺的画作。此图是其中之一。作者将朝贺场面铺叙得十分宏大、壮观，充分体现了皇家的气度与威仪。

星期三

二月

十九雨水 廿二上元节

农历正月初十

十七

爨龍顏碑

WEDNESDAY, FEB 17, 2016

清 佚名
万国来朝图轴（局部）

图绘清周边藩属国以及西方英国、法国等使臣，持本国的珍品或土特产，聚集在紫禁城皇宫的太和门外，欲向乾隆皇帝朝拜的热闹场面。图中所绘物象众多，然而，布局法度严谨，繁而不乱。

公历二〇一六年 · 农历丙申年

星期四

二月

明日雨水 廿二上元节

农历正月十一

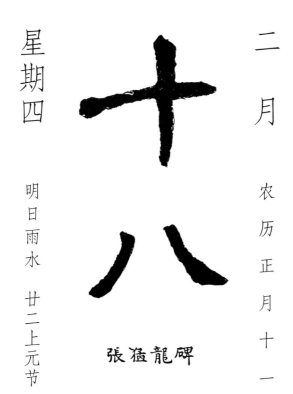

十八

張猛龍碑

THURSDAY, FEB 18, 2016

清 佚名
万国来朝图轴（局部）

此图也是表现藩属及外国使臣前来清宫朝贺场面的画作。作者不仅以鸟瞰俯视的手法，高度的概括力，巧妙的布局和工整细腻的笔触，以及绚丽的色彩，成功地刻画出不同国度的人物形象；而且以写实的手法，刻画了嫔妃们观看皇族子弟点放爆竹的生动场景，为研究清代皇族的岁朝庆贺活动，提供了珍贵的形象资料。

星期五

二月十九

雨水

农历正月十二

今日雨水 一候獭祭鱼

陸東之書文賦

FRIDAY, FEB 19, 2016

清 佚名 万国来朝图轴

　　此图采用焦点透视手法,建筑、屋脊、园囿在云雾中隐现,近大远小,详略得宜。来朝贺的使节宾客携带各种珍稀贡品,聚集太和门外等待觐见乾隆皇帝。万国齐聚、恭贺新春的主题突出。

星期六

二月

廿

日

农历正月十三

今日世界社会公正日

高贞碑

SATURDAY, FEB 20, 2016

清　顾洛　岁朝图轴

此图表现孩童们庆贺新年的欢乐景象。作者重点刻画的是月亮门前，点放爆竹的三位儿童，将他们在点燃炮烬后的神态，表现得生动幽默：胆小的掉头就跑；胆大的或捂着耳朵，或直接盯着爆竹看，希望看到火药爆炸时的瞬间辉煌。

星
期
日

二
月

今
日
国
际
母
语
日

农
历
正
月
十
四

端州石室記

SUNDAY, FEB 21, 2016

清　佚名　乾隆皇帝元宵行乐图轴

　　图绘乾隆皇帝坐在楼阁上，正安详地目视着皇族子弟们燃放焰火、庆贺元宵节的场景。画作上没有落作者的名款，从技法上推断，可能是郎世宁绘乾隆皇帝肖像，中国画家画其他人物及屋宇、树石等。中西画家联手创作不仅渲染出元宵节喜庆的气氛，同时传递出乾隆皇帝与家人之间浓浓的亲情。

星期一

二月廿二

上元

神策军碑

今日上元节　五日惊蛰

农历正月十五

MONDAY, FEB 22, 2016

清 马昂 元日题诗图轴

元日，作为新的一年的首日，历来受到人们重视。文人在这一天或挥毫作画，或写诗作词，谓之"开笔式"，企盼新的一年文笔畅达精妙。图绘三位文人正铺纸濡墨，欲落笔成诗的场景。

星期二

二月

廿

三

五日惊蛰　八日妇女节

农历正月十六

高盛碑

今日八九第一天

TUESDAY, FEB 23, 2016

清　史汉　元日题诗图轴

　　此图绘元日雅集活动，屋外有童子燃放鞭炮、吹打乐器，屋内则有老者饮酒题诗，相互祝福，正如图中自题："元日春光满户庭，柳金梅玉弄芳晴。宾朋献岁呈椒颂，炉火辛盘对共赓。"

星期三

二月

爨寶子碑

今日二候候雁北

农历正月十七

WEDNESDAY, FEB 24, 2016

清　王素　岁朝戏婴图轴

作者自题：「除夕人静，或有抱镜出门，窥听儿童嬉戏无意之言，以卜来岁吉祥。」抱镜窥听又称「镜听」，俗称「听响卜」、「凡镜听」，是汉族民间除夕时的一种占卜习俗，表达了民众企盼来年平安幸福的美好意愿。

公历二〇一六年·农历丙申年

星期四

二月

廿五

五日惊蛰　八日妇女节

农历正月十八

同州聖教序

THURSDAY, FEB 25, 2016

清　颜峄　岁朝图轴

此图是颜峄送给兴翁先生的
贺岁画作。图绘柏枝、梅枝、天
竹等多种有祥瑞寓意的花木枝，
插置在秀透的湖石中，其绚丽的
色彩，与新年喜庆的主题相契合。

星期五

二月

五日惊蛰　八日妇女节

农历正月十九

廿六

樊興碑

FRIDAY, FEB 26, 2016

清　管希宁　元宵同乐图轴

　　元宵节，又称为"上元节"、"小正月"、"元夕"或"灯节"，是岁朝之后的第一个重要节日。按照民间传统，在这天除吃寓意团圆美好的元宵外，还要点起彩灯、燃放焰火和猜灯谜。图绘孩童们或手举龙、凤、鱼、荷花等各种象形灯，或蹴鞠，或吹笙打鼓，共度灯节的欢乐场景。

星期六

二月

廿七

农历正月二十

五日惊蛰　八日妇女节

田公德政碑

SATURDAY, FEB 27, 2016

清　福贵　岁朝图轴

此图彩灯高挂，点明时值元宵灯节。童子们或折梅枝插瓶，或溜冰玩闹，情节诙谐，形象可爱，表现出温馨祥和的升平景象。

星期日

二月

孟颖达碑

五日惊蛰　八日妇女节

农历正月廿一

SUNDAY, FEB 28, 2016

清　宋葆淳　九日宴集图轴

　　据画卷尾纸上胡长庚等人重阳题诗可知，此图作于清嘉
庆九年（1804年）九月九日重阳节。图绘文士胡长庚、吴
绍元等五人在崇守家饮酒赋诗的集会情景。图中人物的面部
没有细致刻画，屋内也没有酒具饭食、家具陈设，一切简约
至极，但是通过草堂内五人围坐的场景，仍然可以感受到友
朋相聚的惬意。

公历二〇一六年 · 农历丙申年

星期一

二月

农历正月廿二

今日三候草木萌动

廿九

西庙堂碑

MONDAY, FEB 29, 2016

升平庆演

三月

清　佚名　戏剧图册之三岔口页

　　一名《焦赞发配》，取材于《杨家将演义》。宋代，三关上将焦赞，因杀死王钦若女婿谢金吾，被发配沙门岛；任堂惠（唐会）奉命暗中保护。解差押解焦赞行至三岔口，夜宿于刘利华（力滑）店中。任堂惠赶至店中宿下，入夜，任、刘因误会引起搏斗。后经焦赞出面，二人方化敌为友。

星
期
二

三
月

五
日
惊
蛰

八
日
妇
女
节

农
历
正
月
廿
三

萧 憺 碑

TUESDAY, MAR 1, 2016

清　佚名　戏剧图册之双包案页

　　包拯放粮回朝，途遇黑鼠精，亦变作包公模样，与之相混淆。一时法堂之上，真假包拯、王朝、马汉六人相见后，相互对质，难辨真伪。

星期三

三 月

二日

五日惊蛰　八日妇女节

农历正月廿四

暉福寺碑

WEDNESDAY, MAR 2, 2016

清 佚名 戏剧图册之宇宙锋(峰)页

又名《一口剑》、《六义图》。秦二世时,赵高与匡洪本是儿女亲家,后因匡洪不满赵高的专权,两家结怨。赵高派人以盗得的匡家所藏"宇宙锋"宝剑行刺二世。二世震怒,抄斩匡家,匡洪儿媳艳容(赵玉梅)返回娘家。秦二世欲立艳容为嫔妃。艳容在哑巴丫环的帮助下,假装疯癫,以抗强暴。

星期四

三月

今日国际爱耳日

农历正月廿五

三日

敬史君碑

今日九九第一天

THURSDAY, MAR 3, 2016

清　佚名　戏剧图册之下河东页

　　取材《杨家将演义》，又名《龙虎斗》、《斩呼延寿廷》。宋太祖时，河东白龙造反，太祖赵匡胤（印）御驾亲征，欧阳芳挂帅，呼延寿廷（胡寿廷）兄妹为先锋。欧阳芳私通白龙，约劫宋营。呼延兄妹击败白龙，欧阳芳反诬其出战不力，斩了寿廷。呼延寿廷之子呼延赞意欲替父报仇，经太祖说明事由后，护驾河东，共诛欧阳芳。

公历二〇一六年·农历丙申年

星期五

三月

四

日

明日惊蛰　八日妇女节

农历正月廿六

赵郡王修寺碑

FRIDAY, MAR 4, 2016

清　佚名　戏剧图册之乾坤带页

取材于唐代故事。秦怀玉之子秦英打死唐王詹(占)妃的父亲詹洪，银屏(瓶)公主与母后请求唐王念秦门世代忠良，赦免秦英死罪，命他戴罪立功征讨西凉。秦英临行之前，唐王赠予其乾坤带，勉励其两军阵前奋勇杀敌。

公历二〇一六年 · 农历丙申年

三月五日

农历正月廿七

星期六

今日惊蛰 一候桃始华

驚蟄

多寶塔碑及石經

SATURDAY, MAR 5, 2016

清　佚名　戏剧图册之庆阳图页

又名《斩李广》、《李刚反朝》。记周厉王时，李广、李刚兄弟二人奉旨出征战虹霓，得胜还朝后，李广在周厉王举办的庆功宴上，与国舅马兰结怨。事后，马兰与其妹马妃密谋诬陷李广与杨后有暧昧之情。厉王不明是非，怒命马兰监斩李广。其弟李刚闻讯后，举兵反朝，打死马兰、马妃，为其兄报了仇。

公历二〇一六年·农历丙申年

三月

六日

星期日

农历正月廿八

孟法師碑

八日妇女节

十日龙抬头

SUNDAY, MAR 6, 2016

清　佚名　戏剧图册之捉放页

　　取材《三国演义》。记三国时，曹操刺杀凶残的董卓未遂，逃至中牟县，为守关军士所获。县令陈宫为曹操除霸安良的举止所感动，弃官与曹操同行。陈宫后见曹操枉杀无辜，恨其残忍，遂独自离去。

星期一

三月

鄭文公碑

明日妇女节　十日龙抬头

农历正月廿九

MONDAY, MAR 7, 2016

清　佚名　戏剧图册之拿花蝴蝶页

　　姜永志，诨名花蝴蝶，武艺超群，风流成性，奸杀赵员外之女后遁逃。包公遂命南侠及五鼠，扮作僧、道、囚徒、解差分路稽查。姜永志流窜至鸳鸯桥，意欲潜水而逃，不料蒋平精通水性，姜永志终被擒拿。

星期二

八日

三月

农历正月三十

今日妇女节 十日龙抬头

道因法师碑

TUESDAY, MAR 8, 2016

武天虬　黄天霸　普天求　恶虎村

清　佚名　戏剧图册之恶虎村页

　　又名《江都县》、《三义绝交》、《三雄绝义》，据小说《施公案》改编。记清代康熙年间，江都知县施世纶路经恶虎村，被绿林好汉濮天雕（普天求）、武天虬（貂）劫往庄内。在施世纶手下当过捕快的黄天霸闻讯赶来救主，并且大义灭亲，杀死了结拜兄弟濮天雕、武天虬。

公历二〇一六年·农历丙申年

星期三

九日

三月

农历二月初一

明日龙抬头　廿日春分

平陳頌

WEDNESDAY, MAR 9, 2016

清　佚名　戏剧图册之醉写页

　　渤海国王派使臣以其本邦文字上表唐王李隆基，朝中无人能辨识所书。贺知章知李白博学，便将他唤至宫中。李白毫不费力地高声宣读出表文。唐王又命李白代写草诏，以服渤海国王。李白佯醉借机奏请唐王让国舅杨国忠为他磨墨，宦官高力（吏）士为他脱靴搔痒，以辱权奸之臣。

星期四

三月

十日

岳麓寺碑

今日龙抬头 二候鸧鹒鸣

农历二月初二

THURSDAY, MAR 10, 2016

清　佚名　戏剧图册之艳阳楼页

又名《拿高登》。宋朝权相高俅之子高登，将梁山好汉
徐宁之子徐士英（绰号青面虎）的妹妹佩珠抢回府中，欲纳
为妾。徐士英在梁山后裔花荣之子花逢（凤）春、呼延灼之
子呼延（虎眼）豹、秦明之子秦仁的帮助下，经过与高登等
人的激战，终于将佩珠从被软禁的艳阳楼上成功救出。

星期五

三月

十一

廿日春分　廿三花朝节

农历二月初三

玄静先生碑

FRIDAY, MAR 11, 2016

清　佚名　戏剧图册之探母页

　　又名《北天门》、《四盘山》，取材于杨家将故事。杨四郎延辉在宋、辽金沙滩战役中，被辽掳去，改名木易，与铁镜公主结婚。十五年后，他听说弟弟六郎杨延昭挂帅，母亲佘太君也押粮草随营同来雁门关，便在铁镜公主的帮助下，盗取令箭，与家人幸福团聚。

星期六

今日植树节

十二

三月

农历二月初四

根法师碑

SATURDAY, MAR 12, 2016

清　佚名　戏剧图册之御果园页

又名《尉迟恭救驾》。李建成（昌）、李元吉借父亲李渊大封功臣之机，预谋杀害秦王李世民，篡夺太子位。他们以尉迟敬德战功不实为由，提议在御果园重演尉迟敬德洗马救李世民的故事。他们命心腹黄壮扮演单雄信，欲借机来杀死李世民。尉迟敬德演救驾时，用鞭打死黄壮，救了李世民性命。

星期日

三月

廿日春分　廿三花朝节

农历二月初五

十三

房彦谦碑

SUNDAY, MAR 13, 2016

清　佚名　戏剧图册之彩楼配页

又称《花园赠金》，是京剧《红鬃烈马》的一折。记唐丞相王允之女宝钏（川）在雪后游园时，爱上落魄的青年才子薛平（贫）贵，于是赠以钱粮相救，并且叮嘱他在二月二日到彩楼前伫候。王宝钏奉旨至彩楼抛球选夫时，特意将彩球抛与薛平贵，以求姻缘。

星期一

廿日春分　廿三花朝节

十四

玄林禅师碑

三月

农历二月初六

MONDAY, MAR 14, 2016

清　佚名　戏剧图册之青石山页

在青石山风魔洞，九尾狐化身为美女迷惑周从纶。周的家奴请王老道前往捉妖，反被妖狐所辱。王老道急忙请来吕祖，几经斗法，吕祖也难以降服妖狐。于是他们焚符请关帝协助除妖，关帝派关平、周仓率天兵降妖，方才取得成功。

星期二

三月

十五

农历二月初七

今日
世界消费者权益日

三候鹰化为鸠

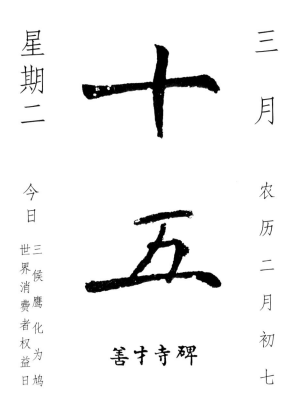

善才寺碑

TUESDAY, MAR 15, 2016

清　佚名　戏剧图册之断后页

又名《天齐庙》、《赵州桥》、《遇皇后》、《打龙袍》等，取材于《三侠五义》。记北宋仁宗年间，包拯奉旨于陈州放粮，在天齐庙遇盲人老妇告状，此妇即是皇帝真宗之妃、仁宗之母李定妃。包拯回京后指仁宗不孝。仁宗闻言要怒斩包拯，经老太监陈琳说破当年狸猫换太子之事，才赦免包拯，并且迎接李后还朝。

星期三

三月

十
六

农历二月初八

廿日春分 廿三花朝节

信行禅师碑

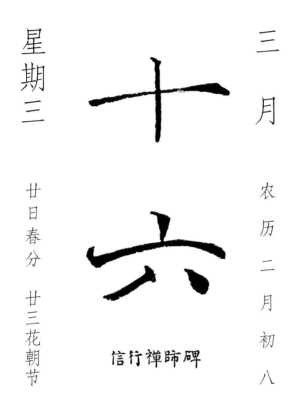

WEDNESDAY, MAR 16, 2016

清　佚名　戏剧图册之拾玉镯（琢）页

明代陕西孙家庄少女孙玉姣坐在门前绣花，青年世袭指挥傅（富）朋对她一见钟情，故意将一只玉镯丢落在她的门前。孙玉姣含羞拾玉镯，表示愿意接受傅朋的情意。两个人在刘媒婆的撮合下喜结良缘。

公历二〇一六年·农历丙申年

星期四

三月

农历二月初九

廿日春分 廿三花朝节

爨龍顏碑

THURSDAY, MAR 17, 2016

清　佚名　戏剧图册之戏妻页

　　取材于汉刘向《列女传》。秋（邱）胡与罗氏女新婚五天后离别。时隔五年后，秋胡在返家途中路经桑园与采桑叶的罗氏相遇，俩人已不相认。秋胡拿出金钱去挑逗罗氏，结果遭到严词拒绝。秋胡回到家后，方知那位女子正是自己的妻子，羞愧难当。罗氏也因对秋胡的愤怒而寻死。

星期五

三月

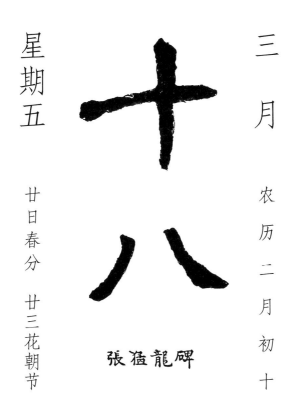

十八

张猛龙碑

廿日春分　廿三花朝节

农历二月初十

FRIDAY, MAR 18, 2016

清　佚名　戏剧图册之翠屏山页

梁山好汉石秀将他见到杨雄的妻子潘巧云与僧裴如海私通的事告诉杨雄。杨雄醉归回家，潘巧云及婢迎（盈）儿反诬遭石秀调戏。杨雄不察事理，与石秀绝交。石秀乘醉夜杀裴如海，杨雄始明真相，于是定计诓潘巧云及迎儿至翠屏山，勘问奸情，并且杀死巧云等。

公历二〇一六年 · 农历丙申年

星期六

三月

农历二月十一

明日春分 廿三花朝节

十九

李仲璇修孔庙碑

清　佚名　戏剧图册之玉堂春页

　　明朝，名妓玉堂春与吏部尚书之子王景隆（金龙）结识相爱。贪财的老鸨却将玉堂春卖给山西富商沈燕林为妾。沈妻皮氏与赵监生私通，毒死沈，反诬告玉堂春。玉堂春被问成死罪，解至太原三堂会审，主审官恰为王金龙，他在藩司潘必正、臬司刘秉义的帮助下，终于为玉堂春平反冤案。

公历二〇一六年 · 农历丙申年

星期日

今日春分 一候玄鸟至

春分

多寶塔碑

三月廿日

农历二月十二

清　佚名　戏剧图册之夜战页

　　取材于《三国演义》。记汉宁太守张鲁命大将马超攻打
葭萌关。刘备与军师诸葛亮商议，决定由张飞迎战。张飞与
马超大战一百回合，不分胜负，天色渐晚，二人挑灯夜战
二十余回合。马超见不能取胜张飞，于是佯装败走，不慎反
中诸葛亮之计，最终陷于困境，投降于刘备。

星期一

三月

廿三花朝节

四日清明

农历二月十三

端州石室记

清　佚名　戏剧图册之借赵云页

　　取材于《三国演义》第十一回。记曹操派重兵攻夺徐州，刘备欲前往解救，于是向公孙瓒处借兵，并且指名求借大将赵云。张飞见到赵云后极其不服，屡屡出言挑衅。适曹操令典韦前来索战，张飞不敌，战败而归。赵云领命出战，旋即将典韦杀败。从此，张飞自叹不如赵云。

星期二

三月

廿二

今日世界水日

农历二月十四

尧公颂

TUESDAY, MAR 22, 2016

清　佚名　戏剧图册之桑园寄子页

　　晋朝，黑水国石勒造反，扰乱中原。邓伯道带领儿子、弟媳金氏及侄子，投奔潼关守将金水成。中途金氏走失，难顾及二子的邓伯道决定弃子携侄。路过桑园时，邓伯道将儿子缚树上，咬指血书置其怀，然后含泪背负侄子离去。正巧金氏也路过桑园，她将邓伯道之子解救下来，并且领至潼关，一家乃得团聚。

星期三

三月廿三

花朝

农历二月十五

今日花朝节　世界气象日

同州聖教序

WEDNESDAY, MAR 23, 2016

清　佚名　戏剧图册之穆柯寨页

　　宋朝，杨六郎命宗保、孟良、焦赞去穆柯寨索取破天门阵用的降龙木，孟、焦被寨主之女穆桂英打败。杨宗保前去助战，反而被穆桂英擒拿。穆桂英爱慕杨宗保，愿结良缘。杨延昭为救杨宗保，化名征剿穆柯寨。杨宗保及时赶到，避免了一场恶战。

星期四

今日世界防治结核病日

三月

农历二月十六

爨寶子碑

THURSDAY, MAR 24, 2016

清　佚名　戏剧图册之七星灯页

　　取材于《三国演义》。病重的孔明为了延寿而在军帐中设香花祭物，地上分布七盏大灯，内安本命灯一盏。自言："若七日内主灯不灭，吾寿可增一纪（指十二年）。"司马懿猜测到孔明患病，便派夏侯霸"乘势击之"。魏延向孔明秉报军情时，不慎将主灯熄灭。姜维拔剑欲杀魏延，孔明劝道："此吾命当绝，非文长之过也。"

星期五

今日二候雷乃发声

廿五

同州聖教序

三月

农历二月十七

FRIDAY, MAR 25, 2016

清　佚名　戏剧图册之骂曹页

　　又称《打鼓骂曹》、《群臣宴》，取材于《三国演义》。记清高善辩的名士祢衡被孔融推荐给曹操，曹操让他作鼓吏来羞辱他。一日，曹操宴请群臣时，祢衡当众边击鼓边骂曹操为奸相。后曹操设计，派他到荆州，被刘表的部将黄祖杀死。

公历二〇一六年·农历丙申年

三月

廿六

星期六

农历二月十八

四日清明 九日上巳节。

樊興碑

SATURDAY, MAR 26, 2016

清 佚名 戏剧图册之打金枝页

　　又称《汾阳富贵》、《福寿山》、《百寿图》、《醉打金枝》。唐代宗将女儿金枝公主许配于汾阳王郭子仪六子郭暧（艾）为妻。公主自幼娇惯任性，郭子仪寿诞时，唯独公主不去给公公拜寿。郭暧怒而打了公主。唐代宗明事理顾大局，不但没有治罪郭暧反而为他加封，获得世人赞许。

星期日

今日世界戏剧日

廿七

田公德政碑

三月

农历二月十九

SUNDAY, MAR 27, 2016

清　佚名　戏剧图册之取洛阳页

又名《光武兴》，见《东汉演义》、《赐绣旗》。记刘秀派元帅邓禹攻打洛阳，洛阳守将苏献防范甚严，无机可乘。邓禹利用急于立功的马武（五）与岑彭不和，假意重用岑彭，来激发马武的战斗力。"落寞失宠"的马武诈降苏献，经与外围的岑彭等人配合，攻破洛阳。

星期一

三月

四日清明 九日上巳节

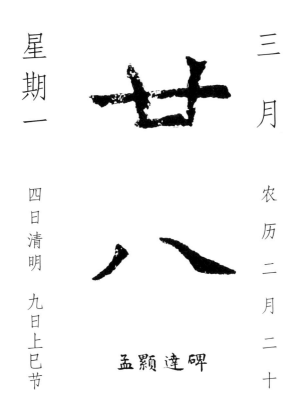

甘八

孟顯達碑

农历二月二十

MONDAY, MAR 28, 2016

清　佚名　戏剧图册之庆顶珠页

　　又名《扣门杀家》、《打渔杀家》、《萧恩杀江》、《讨渔税》、《打渔招亲》等。记梁山好汉萧恩和女儿打渔为生，欠下恶霸丁自燮的渔税银子。受冤的萧恩到官府告状时，反遭责打。他于是以献庆顶珠"赔罪"为名，与女儿杀了丁自燮一家。事后，萧恩自刎；其女流落江湖，与花逢春结为夫妻。

星期二

三月

廿九

农历二月廿一

四日清明　九日上巳节

西庙堂碑

TUESDAY, MAR 29, 2016

清　佚名　戏剧图册之二进宫页

　　又称《击宫门》、《忠保国》。明穆宗死后，太子年幼，李艳（雁）妃垂帘听政。其父李良，企图篡夺皇位。定国公徐延（彦）昭、兵部侍郎杨波（孛）在龙凤阁向李妃严词谏阻，君臣激烈争辩，不欢而散。当李良封锁昭阳院，篡位之迹已明显时，徐、杨不顾生死二次进宫进谏，终获成功。

星期三

三月

廿

日

今日三候始电

农历二月廿二

嵩高霊廟碑

WEDNESDAY, MAR 30, 2016

清　佚名　戏剧图册之四杰村页

又名《余千救主》，取材于《绿牡丹》。骆宏勋被贺世赖诬陷为盗，在解往京都途中路经四杰村，村中朱氏兄弟龙、虎、熊、豹四人，与骆氏结有宿仇，便劫了囚车欲杀害之。骆氏仆人余千与萧计、鲍士（赐）安、花振芳、濮（扑）天鹏、鲍金花等人，合力打败朱氏兄弟，救出骆宏勋。

星期四

三月

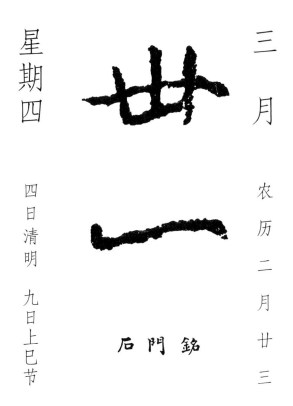

四日清明　九日上巳节

农历二月廿三

石門銘

THURSDAY, MAR 31, 2016

歌舞升平

四月

五代 顾闳中（传） 韩熙载夜宴图卷（局部）

　　《韩熙载夜宴图》描绘南唐不得志的中书舍人韩熙载宴请宾客的情景。此图是其中动感最强的"观舞"一段。舞伎王屋山在韩熙载等人欣赏的目光之下跳起了优美的"六幺舞"。这种舞又称"绿腰舞"，具有"以手袖为容，踏足为节"的特点。

星期五

四月

一日

萧憺碑

四日清明　九日上巳节

农历二月廿四

FRIDAY, APR 1, 2016

五代 阮郜
阆苑女仙图卷（局部）

这是一幅表现虚幻仙境的画卷。作者重点描绘了苍松翠竹下女仙和侍女们展卷弹阮的场景。一只白凤听到动听的仙乐，不禁翩翩而至，并且随节拍起舞，展羽亮翅。

星期六

四月

二

日

晖福寺碑

四日清明　九日上巳节

农历二月廿五

SATURDAY, APR 2, 2016

五代 胡瓌
卓歇图卷（局部）

此段图绘女真贵族邀请宋朝使团首领狩猎，途中歇息时宴饮观舞的情景。舞蹈者在筚篥的伴奏下跳起了具有草原风情的蒙古舞，其灵动的身姿活跃了野炊的气氛，也舒解了狩猎者的疲劳。

公 历 二 〇 一 六 年 · 农 历 丙 申 年

四 月 三 日

农 历 二 月 廿 六

星 期 日

今 日 寒 食　明 日 清 明

寒 食

雁塔聖教序

SUNDAY, APR 3, 2016

当雨清数句
朝阳复市城
丰年人乐业
垄上踏歌行

宋 马远 踏歌图轴

图绘四位醉酒的村民在山道上手舞足蹈"踏歌"前行，表现了他们喜获丰收的欢乐之情。"踏歌"是中国南方乡间的古老习俗，即踏着节拍，边歌边舞，以庆贺丰收。图上有南宋皇帝宁宗赵扩抄录北宋王安石的诗句"丰年人乐业，垄上踏歌行"，点明了画意。

星期一

今日清明 一候桐始华

清明

颜氏家庙碑

四月四日

农历二月廿七

MONDAY, APR 4, 2016

元 佚名
农村嫁女图卷（局部）

这是一幅反映元代乡村生活的风俗画，卷尾绘村民们在敲锣、打鼓、吹笛，为一位舞者伴奏。喧嚣的场景令奏乐者、舞者及观望者皆群情振奋，忘我地陶醉在无比的欢乐中。

公历二〇一六年 · 农历丙申年

星期二

四月

五日

农历二月廿八

九日上巳节　十九谷雨

龍藏寺碑

TUESDAY, APR 5, 2016

明 郭诩 琵琶行图轴

此幅表现的是唐代白居易《琵琶行》诗意。画面删繁就简，诗人与落难歌女的形象突出。作者在洗练的笔墨中，重点表现了两人「听」与「说」的神态，形象刻画得有声有色，展现出高超的以形写神功力。

公历二〇一六年 · 农历丙申年

星期三

四月

六日

农历二月廿九

九日上巳节 十九谷雨

孟法师碑

WEDNESDAY, APR 6, 2016

明 吴伟 歌舞图轴

　　此图真实地反映了明代文士狎妓观舞的场景。据唐寅墨题可知，起舞者是年方十岁，但已为妓数载的李奴奴。明代是青楼业昌盛的时期，包括李奴奴在内的众多女子，在遭遇各种生活的不幸后，被迫为娼。

星期四

四月

今日世界卫生日

农历三月初一

七

日

鄭文公碑

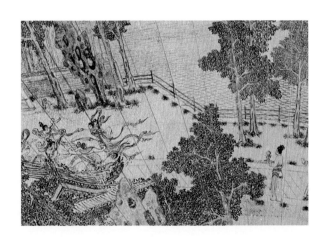

明　周臣　明皇游月宫图扇面

　　该图表现的是唐人小说中明皇李隆基偕方士梦游月中宫殿的情景。唐明皇在侍从和宫女的陪同下，缓缓步入月宫，只见精致的楼阁前，仙女们舞姿曼妙，衣袂飘飘，美不胜收。

公 历 二 〇 一 六 年 · 农 历 丙 申 年

星期五

四月

八日

道因法师碑

农历三月初二

明日上巳节 十九谷雨

FRIDAY, APR 8, 2016

明 张宏 击缶图轴

这是一幅表现明末苏州地区社会生活的风俗画。图绘村边地头，村民们在农闲时的即兴娱乐，一人击缶，一人举手抬足随节拍起舞，引得男女老少围观，齐声叫好。画面构图疏朗，用笔率意简放，将乡间的民众娱乐刻画得声情并茂。

四月九日

农 历 三 月 初 三

星期六

今日上巳节　二候田鼠化鴽

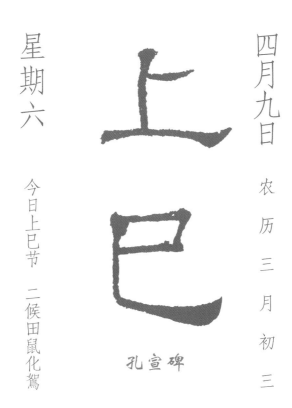

上巳

孔宣碑

SATURDAY, APR 9, 2016

明 仇珠 女乐图轴

　　这是一幅工笔重彩仕女画，表现的是贵族女子各执乐器，在殿宇前的地毯上配乐演奏的情景。她们周围站立的女子，或静心倾听，或低声言谈，巧妙地营造出"听"的氛围。此图反映出贵族女性在演奏时愉悦的心境以及她们闲适高雅的生活状态。

公历二○一六年·农历丙申年

星期日

四月

十日

十九谷雨 一日劳动节

农历三月初四

岳麓寺碑

SUNDAY, APR 10, 2016

明　陈洪绶　弹唱图轴

图绘在芭蕉与湖石相佐的田园小景内，身着长袍的高士，侧耳静听女子的弹唱。他们悠闲的赏乐活动，展现出宁静清逸的意境，给人以远离尘俗之感。

星期一

十九谷雨 一日劳动节

四月

农历三月初五

玄静先生碑

MONDAY, APR 11, 2016

清　佚名
雍正皇帝十二月行乐图之十月图轴

　　图绘十余位佳丽在高台上弹琴吟唱的景致。人物虽然小如豆许，但是，造型体态精准，服饰设色丰富，冷暖色调和谐搭配，明丽鲜亮而无媚俗浮躁之气，生动地渲染出宫女们愉悦的心境。

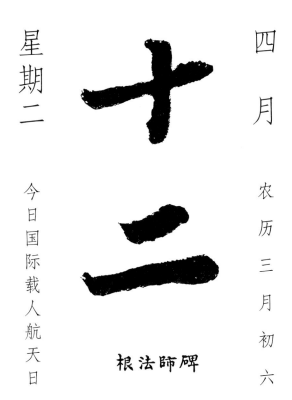

星期二

十二

四月

农历三月初六

今日国际载人航天日

根法师碑

清　佚名　行乐图玻璃画

图中的寿星、仙鹤以及制成寿桃样的食品，均表明此图是幅祝寿画。草地上五位女子边奏乐边唱颂词，其曼妙的乐章不仅营造了热烈的祝寿氛围，而且将寿主领入幸福安康的寿字世界。

星期三

四月

十九谷雨 一日劳动节

农历三月初七

房彦谦碑

WEDNESDAY, APR 13, 2016

清　冷枚　十宫词意图册之汉宫页

　　《十宫词意图》册是宫廷画家冷枚依据时为和硕宝亲王弘历写的吴、楚、秦、汉、魏、晋、齐、陈、隋、唐宫词配的画，因此，名为"十宫词意图"。本图页是依据题诗"水晶盘净玉腰酥，爱舞因怜可用扶"所绘，表现的是汉代美女赵飞燕在水晶盘上跳舞的场景。赵氏体态娇小轻盈，以善舞被汉成帝宠幸。成帝为了更好地观赏其舞蹈，专门做一水晶盘，以供她展现各种高难度的舞姿。

公历二〇一六年 · 农历丙申年

星期四

四月

今日三候虹始见

十四

玄林禅师碑

农历三月初八

THURSDAY, APR 14, 2016

清　周鲲　村市生涯图册之说唱页

　　乾隆皇帝将顺民心、近民俗视为稳定朝政的治国之策。他为了了解民俗、考察民情，曾谕宫廷画家周鲲以写实的绘画技法，描绘民俗世相。此图页刻画了卖唱的情节。

星期五

四月

十九谷雨 一日劳动节

十
五

善于寺碑

农历三月初九

FRIDAY, APR 15, 2016

静日先生小
说流禅官敲
鉾唱街頭村
翁里婦扶攜
聽償為歡欣
償為愁

御製題盲音
丁亥秋九月
御筆書

清　金廷标　盲人说唱图轴

　　图绘水际岸边，有盲者边说边唱，他诙谐生动的表演，引得村民闻声而来。乾隆皇帝非常喜欢此图，不仅作御制诗，让于敏中书在画上，钤多方宝玺，还谕令将此画著录在清内府《石渠宝笈》内。

星期六

四月

十六

农历三月初十

十九谷雨 一日劳动节

信行禅师碑

SATURDAY, APR 16, 2016

清　姚文瀚　七夕图轴

　　此图是宫廷画家姚文瀚奉旨创作的工笔重彩节令画。图绘天上彩虹横架，牛郎织女即将过桥相会。地上孩童们嬉戏玩闹，女子们或弹琴或吹箫或打鼓，边奏边唱，热闹非凡。天上、人间共祝七夕的欢乐景象，正是乾隆皇帝所追求的太平盛世。

星期日

四月

农历三月十一

十九谷雨 一日劳动节

爨龍顔碑

清 喻兰
仕女清娱图册之舞剑页

图绘二位佳丽持剑比武。她们虽然一招一式极为规范，但是由于她们文弱的身姿、甜美的面相，再加上优美的舞姿，将本是阳刚之气的剑器比拼，转化成万般柔情的唯美表演。

星期一

今日国际古迹遗址日

四月

农历三月十二

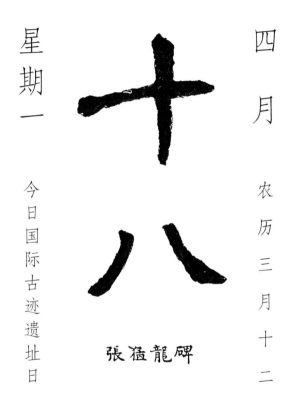

十八

張猛龍碑

MONDAY, APR 18, 2016

清 刘彦冲 听阮图卷

图绘在碧草、湖石、芭蕉、丛篁以及茁壮的梧桐树营造的优美环境中，画家刘彦冲的好友鹿山正抱膝盘坐，倾听面前女子的弹阮吟唱。从他专注的神态，可以感受到声乐的婉转动听，令人陶醉。

星期二

四月十九

农历三月十三

曹全碑

今日谷雨 一候萍始生

TUESDAY, APR 19, 2016

秧歌

清　张恺等　普庆升平图卷（局部）

　　此段绘身穿彩服的男男女女，踩着高跷跳秧歌舞的场面。秧歌舞又称扭秧歌，是古老的汉族民俗文化。演出时，打扮夸张的演员边舞边走，随着鼓声节奏，变换各种队形。它具有舞姿丰富、场面喜庆等特点。

星
期
三

一 日 劳 动 节　五 日 立 夏

高 贞 碑

四
月

农 历 三 月 十 四

WEDNESDAY, APR 20, 2016

清　张恺等　普庆升平图卷（局部）

五虎棍是一种汉族民俗舞蹈，起源于宋代。史载宋太祖赵匡胤登极前，路遇恶霸董家"五虎"，拦桥要钱，赵匡胤在卖油郎郑子明的帮助下，打败了"五虎"。由于赵、郑和"五虎"双方使用的武器皆为棍，所以称为"五虎棍"。图绘演员勾着花脸，扮成上述双方角色正在耍棍比武。

星期四

四月

一日劳动节　五日立夏

农历三月十五

端州石室记

THURSDAY, APR 21, 2016

中幡

清 张恺等 普庆升平图卷 (局部)

中幡又名缘橦,最早是晋代皇家表演项目。它表演起来有诸多精妙招式,如"擎天一柱"、"罗汉撞钟"、"老虎大撅尾"、"秦王倒立碑"等。现今,它已发展成为民间喜闻乐见的一种杂耍项目。

公历二〇一六年·农历丙申年

星期五

四月

今日国际地球日

农历三月十六

廿二

尧公颂

FRIDAY, APR 22, 2016

清　张恺等　普庆升平图卷（局部）

　　杠箱是带有表演性质的体育项目。其难度在于，表演者肩抬杠箱要随着音乐的节拍，在行进中灵巧地做着前滚翻、跳叉、连续反插倒肩一百八十度、侧手翻等高难度动作，与此同时，双手不得触摸杠杆，因此，要求表演者有较高的技巧和体能。

星期六

四月

今日世界图书和版权日

农历三月十七

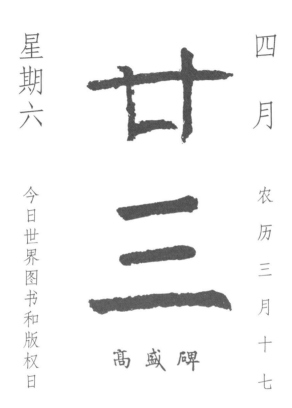

高盛碑

SATURDAY, APR 23, 2016

双石

清　张恺等　普庆升平图卷（局部）

这是一种力量型的举重表演。道具是一根竹杠，两端装有圆形石块，故称"双石"。演员除了舞弄石担外，还要有其他的演员在杠上做叠罗汉、拿顶等各种高难度动作，以增强演出的观赏性。

星期日

四月

爨寶子碑

今日二候鸣鸠拂羽

农历三月十八

清　张恺等　普庆升平图卷（局部）

舞狮有着悠久的历史，它是中国与西域之间文化交流的产物。狮子是由各色鲜艳的布条制成。每头狮子由两人或多人合作表演，他们在锣鼓的伴奏下，装扮成狮子做出各种顽皮的动作。狮子体形威武，被誉为百兽之王，因此人们认为舞狮可以驱鬼避邪。

星期一

四月

同州聖教序

农历三月十九

今日世界防治疟疾日

MONDAY, APR 25, 2016

清　佚名　婴戏图册之舞狮页

　　舞狮作为民间流传极为广泛的表演艺术，也深受儿童们的喜爱。图绘一小童拉着巨大的绣球，在他的导领下，两位披着狮形外套的童子，趋步前行，其左右敲锣打鼓的助阵乐队增强了演出时的活跃氛围，也丰富了画面表现内容。

星期二

四月

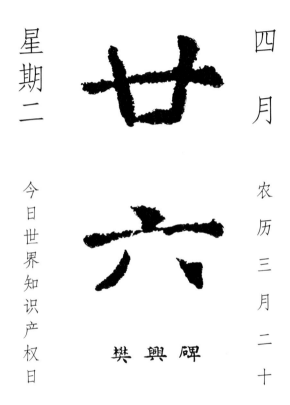

今日世界知识产权日

农历三月二十

樊興碑

TUESDAY, APR 26, 2016

清　任熊

姚大梅诗意图册之歌舞页

图绘盛夏时节，男女老少在凉棚下消暑纳凉的场景。他们或弹琴，或敲鼓，其乐融融，反映了社会底层的人们最朴实的情感，即他们面对艰辛的生活却具有的乐观的人生态度。全图笔墨粗放，画风清新活泼，颇富感染力。

星
期
三

一 日 劳 动 节　五 日 立 夏

四
月

农 历 三 月 廿 一

田公德政碑

W E D N E S D A Y ,　A P R　2 7 ,　2 0 1 6

清　任熊

姚大梅诗意图册之飞天页

此图绘姚大梅「絮才瑟弦小冯舞」的诗意。自古富贵之家、文人雅士就有蓄养家伎的风尚。此图即描绘家伎弹瑟歌舞的场景。全图设色艳丽华贵，富有装饰性；线条顿挫刚劲，富有表现力，与充满朝气的人物相得益彰，不失为仕女画佳作。

公历二〇一六年·农历丙申年

四月

廿八

星期四

农历三月廿二

今日世界安全生产与健康日

孟顯達碑

THURSDAY, APR 28, 2016

清　任颐　公孙大娘舞剑图轴

　　图绘教坊舞伎公孙大娘挥剑起舞的情景。公孙大娘活动于唐代开元年间（713～741年），以擅长舞剑享有盛名。相传著名书法家张旭观其舞剑器，深受其洒脱的舞姿启发，形成了狂草之笔风。

星期五

四月

今日 三候戴胜降于桑 国际舞蹈日

廿九

西庙堂碑

农历三月廿三

FRIDAY, APR 29, 2016

清 任颐 小红低唱图轴

图绘宋代著名文学家、音乐家姜夔与歌伎小红乘舟路过垂虹桥时，姜夔吹着箫，小红随声唱和的场景。姜夔曾为他与小红的这段温馨的旅程，写下『自作新词韵最娇，小红低唱我吹箫』的浪漫诗句。画家任颐则以简约的笔墨、奇妙的构图，形象生动地再现了他们这段爱情佳话。

公历二〇一六年·农历丙申年

四月

农历三月廿四

卅日

嵩高靈廟碑

星期六

明日劳动节

五日立夏

SATURDAY, APR 30, 2016

钧乐天听

五月

唐　陆曜　六逸图卷之吹箫

图绘晋朝名士马季长（马融）赤双足卧兽皮，自娱自乐吹箫的形象。他放浪形骸的体态与严肃认真的吹箫举止形成强烈的比，彰显了高逸脱俗的魏晋风范。

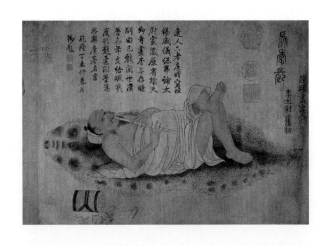

星期日

五月

一

今日国际劳动节

农历三月廿五

日

萧憺碑

SUNDAY, MAY 1, 2016

五代 顾闳中（传）
韩熙载夜宴图卷（局部）

图绘夜宴时教坊副使李佳明的妹妹正在弹琵琶助兴，李佳明关注地直视着她，生怕有所差错。一曲曲优美的旋律，在她娴熟的指法中飘逸而出，令赴宴者注目、陶醉。

公历二〇一六年 · 农历丙申年

星期一

五月

二

农历三月廿六

日

晖福寺碑

四日青年节 五日立夏

五代　顾闳中（传）

韩熙载夜宴图卷（局部）

图中吹笛、吹箫的女子，与严肃的打板者形成对比。她们演奏时姿态各异，显露出活泼可爱的天性。她们身着鲜艳的彩服，给本是暗淡的夜宴增添了华丽的色彩。

公历二〇一六年 · 农历丙申年

星期二

三

五月

今日世界新闻自由日

农历三月廿七

日

敬史君碑

TUESDAY, MAY 3, 2016

五代 顾闳中（传）
韩熙载夜宴图卷（局部）

图绘夜宴的主人韩熙载亲自擂『羯鼓』为舞伎王屋山伴奏的场景。为避免南唐后主李煜猜疑的韩熙载一脸愁情，他拼命地发力击鼓，也难以击碎其胸中的块垒。

公 历 二 〇 一 六 年 · 农 历 丙 申 年

星期三

四

五月

今日青年节　明日立夏

日

农历三月廿八

赵郡王修寺碑

WEDNESDAY, MAY 4, 2016

宋　赵佶　听琴图轴

在盘曲的高松下弹琴者，是喜爱着道装的皇帝宋徽宗，其左前方穿红衣的听琴人是宰相蔡京。

君臣沉浸在婉转连绵的琴音中，尚未听到来自远方的金人金戈铁马的强悍之声。

星期四

今日立夏 一候蝼蝈鸣

立夏

麓山寺碑

五月五日

农历三月廿九

THURSDAY, MAY 5, 2016

宋 佚名 杂剧图页

此图是幅宋人杂剧剧照。绘二位打花鼓的女性主角在演出过程中相对施礼的画面。她们身着演出服饰，身旁摆放着演唱时伴奏用的精致班鼓，这为研究宋代杂剧艺术提供了珍贵的形象资料。

星期五

五月

六日

农历三月三十

十四佛诞日　廿日小满

孟法师碑

FRIDAY, MAY 6, 2016

元　王振鹏　伯牙鼓琴图卷

　　此幅取材于《吕氏春秋》，表现的是战国时善弹七弦琴的俞伯牙巧遇樵夫钟子期，俩人因琴声相识并成为知音的故事。图绘伯牙与子期一人双手抚琴，一人低头静听。

星期六

五月

七日

鄭文公碑

十四佛诞日 廿日小满

农历四月初一

SATURDAY, MAY 7, 2016

元 周朗 杜秋像图卷

这位孤独的女子叫杜秋，唐代金陵人，十五岁为李锜妾，李锜叛灭，她被纳入皇宫得唐宪宗恩宠。穆宗即位后，任命她为儿子李凑的傅姆。后李凑被废去漳王之位，她被赐归故里。唐代杜牧作《杜秋娘诗》，流露出对她的同情。此图表现的是「金阶露新重，闲捻紫箫吹」的诗意。图绘她手执排箫，若有所思。

星期日

五月

八

今日
世界微笑日
母亲节

日

农历四月初二

道因法师碑

SUNDAY, MAY 8, 2016

明 仇英 人物故事图册之贵妃晓妆页

　　图绘杨贵妃晨起后，对镜整理发髻的场景。有宫女在她对面为她演奏竖琴，美妙的乐章将开启她新的一天。此图反映了能歌善舞的贵妃对音乐的喜好，音乐已经成为了她生命中的一部分，也反映了她内廷生活的奢华。

星期一

五月

九日

农历四月初三

十四佛诞日 廿日小满

平陈颂

MONDAY, MAY 9, 2016

明　张路　吹箫女仙图轴

　　图绘水际岸边，一妙龄少女坐于苍松下，吹箫自娱的情景。其悠扬的箫声与澎湃的涛声组成抑扬顿挫、刚柔相济的乐章。少女身旁放置的硕大无比的仙桃喻示了此为仙人、仙境，为画面增添了几许幽幻的情调。

星期二

今日二候蚯蚓出

十日

岳麓寺碑

五月

农历四月初四

TUESDAY, MAY 10, 2016

明　张路　停琴高士图轴

　　图绘高士坐兀崖之上，停琴独思，闲散惬意，一派"静听花开花落，坐看云卷云舒"的神态。画中的山石以饱含水分的润墨表现，运笔奔放豪爽，线条方折顿挫，晕墨富于浓淡的变化，显然受到宋代粗笔水墨一派及吴伟等人水墨写意画风的影响。

星期三

五月

农历四月初五

十四佛诞日　廿日小满

十一

玄静先生碑

WEDNESDAY, MAY 11, 2016

明　程嘉燧　芦艇笛唱图扇面

　　此图运用大片空白表现水天一色，展现了开阔的视野。远处山丘以清润疏散的笔墨勾染，颇得黄公望笔意。图中高士悠然吹笛的形象给画卷平添了几分浪漫的情趣，也表现出画家清静超逸的情怀。

星期四

五月

十二

根法师碑

今日国际护士节

农历四月初六

THURSDAY, MAY 12, 2016

明　陈洪绶　听琴图轴

图绘一端庄文弱的女子专心抚琴的场景，其如鸣佩环的琴音吸引了周围的人。侍女驻足恭听，不愿打扰动听的旋律；男子侧耳静听，不愿落掉每一个音符。"弹"与"听"构成了画作的主题，也表达了文人追求的清娱境界。

星期五

五月

房彦谦碑

明日佛诞日　廿日小满

农历四月初七

FRIDAY, MAY 13, 2016

明　士中　李流芳像图轴

在湖石、兰、竹以及仙鹤组成的清幽庭院内，李流芳手持如意倚石案而坐，一童子正小心翼翼地打开琴套，预示着像主李流芳将要理琴，抒发情怀。李流芳绝意于仕途，以弹琴吟诗，写诗作画为乐，是明末『画中九友』之一。

星期六

五月十四

佛誕

多寶塔碑

今日
世界公平贸易日
佛诞日

农历四月初八

SATURDAY, MAY 14, 2016

清　高简　友琴图卷

　　此图是对元代王振鹏白描卷《伯牙鼓琴图》的摹仿和添加。摹仿了王振鹏画作中俞伯牙、钟子期以及侍者的形象，添加了王氏画作中所没有的山石、树木，从而将人物活动置于一片湖光山色之中，借此来衬托人物高逸脱俗的品格。本图作者还为画中人物的衣装、帽鞋等添染了色彩，丰富了画面的视觉效果，与王氏的原作有异曲同工之妙。

星期日

五月

农历四月初九

今日
国三
际候
家王
庭瓜
日生

十五

善于寺碑

SUNDAY, MAY 15, 2016

清　石涛　对牛弹琴图轴

　　此图是作者以汉代牟融《理惑论》中的"对牛弹琴"为题创作的墨笔画。构图奇特，大量的墨题书法占据了画幅的二分之一，它们在点明画题、展现作者深厚的书学功底同时，亦仿佛是弹琴者指尖下一个个跳动的音符，为无声的画面增添了悠扬的琴韵。

星期一

五月

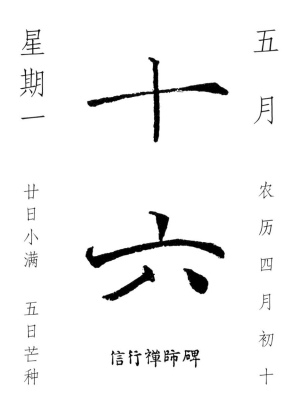

信行禅师碑

廿日 小满　五日芒种

农历四月初十

清　禹之鼎　月波吹笛图卷

　　这是一幅带情节的肖像画。图绘友人朱昆田，坐于扁舟之尾，独自吹笛的情形。人物神情专注，悠扬的笛音，表达的是像主思乡归隐之情，以及独在异乡为异客的落寞情思。

星期二

今日世界信息社会日

十七

五月

农历四月十一

爨龍顏碑

T U E S D A Y ,   M A Y   1 7 ,   2 0 1 6

唐陳子昂有胡琴價百萬一朝
碎拾於長安市肆憤世不重才也
或云琴值與其音不識六值百千
不識弄胡琴圖尚此器公
葉觀英仍泰王樹穀謹圖并識

清　王树穀　弄胡琴图轴

此图表现唐人笔记《独异志》中唐初著名诗人陈子昂的
故事。陈子昂曾出资百万购得胡琴一把，但是，他当众将琴
摔碎，以发泄自己在长安游历十年而难遇知音的愤懑。图绘
陈子昂弹琴时，听者或扭头四顾或沉思默想，均心不在焉的
状态。作者用此画表示对陈子昂怀才不遇的同情，同时也抒
发了自己一生难遇知己的感慨。

星期三

今日国际博物馆日

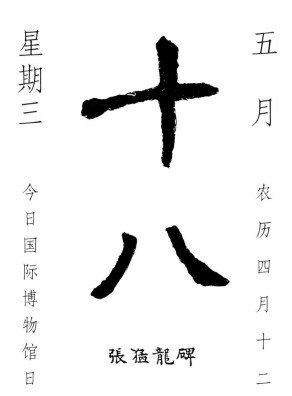

十八

張猛龍碑

五月

农历四月十二

WEDNESDAY, MAY 18, 2016

清　佚名　雍正皇帝行乐图册页

　　雍正皇帝曾令宫廷画家创作多本以他为主角的行乐像册。此图页是其中一本里的一开，描绘他身着汉装，在凤鸟盘旋、翠竹含烟的仙境中抚琴自赏的情景。图中所刻画的情节纯属虚设，但是人像写实，反映出雍正皇帝对野逸生活的向往。

公历二〇一六年·农历丙申年

星期四

五月

明日小满　五日芒种

十九

农历四月十三

李仲琁修孔廟碑

THURSDAY, MAY 19, 2016

清　佚名　雍正皇帝行乐图册页

　　图绘身穿汉服、临溪而坐的雍正皇帝专心抚琴的场景。
通过他舒展优雅、慢拨琴弦的举止，可以感受到悠扬的琴声
与潺潺的溪声、幽淡的月光及高古的松柏合韵成拍之美。

星期五

五月廿日

小满

农历四月十四

今日小满　一候苦菜秀

杜牧書張好好詩

FRIDAY, MAY 20, 2016

清　佚名　乾隆皇帝观荷抚琴图轴

画中年轻的乾隆皇帝身着汉装，临湖抚琴，远处高山林立，近前川流不息，一派美景虽然是虚构，但是显示出乾隆皇帝以山水为乐、以琴音为知己的文人情怀。

星期六

五月

五日芒种 九日端午节

端州石室记

农历四月十五

SATURDAY, MAY 21, 2016

清　佚名　乾隆皇帝薰风琴韵图轴

清代表现帝王生活的宫廷绘画中，以乾隆皇帝的行乐图最多。本图绘已年过半百的乾隆皇帝走下宫殿，在景致清幽的庭院内抚琴自娱的场景。他身侧的石几上摆放的围棋、书籍、画卷等，暗示着他对汉族传统文化的偏爱，对文人雅逸生活的倾慕。

星期日

今日国际生物多样性日

五月

农历四月十六

兖公颂

清 佚名 塞宴四事图横轴（局部）

　　乾隆皇帝行围于承德木兰围场后，要招待参与木兰秋狝的蒙古各部上层、款待八旗将士等，宴会中要举行热烈而刺激的文娱性体育表演，乾隆皇帝称其中的诈马（赛马）、什榜（蒙古音乐）、布库（相扑）、教驯（驯马）为塞宴四事。本图展示的是什榜，身着蓝色花袍的乐队正在为烘染宴会的气氛演奏。

星期一

五月

高盛碑

五日芒种　九日端午节

农历四月十七

廿三

MONDAY, MAY 23, 2016

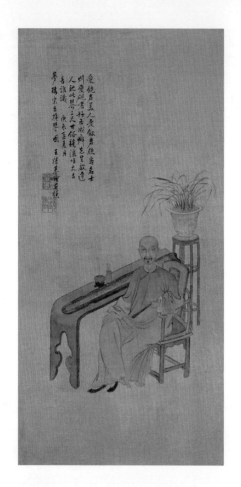

清 王肇基 王文治抚琴图轴

　　图绘乾隆二十五年（1760年）的探花王文治在室内的画像。他手持折扇神情淡定地端坐在木椅上，身旁条案上摆有古琴和香炉，身后的花架上则置有盛开的兰花一盆。虽然点景物象不多，但是高低错落的陈设，丰富了画面的纵深空间，同时，也映衬出像主王文治以琴瑟为伴的文人雅好。

星期二

五月

廿四

黻寶子碑

五日芒种　九日端午节

农历四月十八

TUESDAY, MAY 24, 2016

清 史文 松荫抚琴图轴

　　此图表现的是文人清玩活动。远景悬崖陡壑，烟云飘渺。中景古木苍松，一人轻抚慢弹，一人倾耳静听。近景一枝红梅疏影上仰，似随琴声低吟摆动。人物活动与周边的景物达成完美的统一。

星期三

五月

今日二候靡草死

廿五

同州聖教序

农历四月十九

WEDNESDAY, MAY 25, 2016

清 喻兰
仕女清娱图册之吹箫页

从精美的器皿、工巧的家具，华丽的服饰可知，作者表现的是富贵人家的女子。她清吹长箫，倾诉的是闺房的寂寞，唯一的听众女侍伴随在她的身后，正是：『寂寞深闺，柔肠一寸愁千缕。惜春去，几点催花雨……』

公历二〇一六年 · 农历丙申年

星期四

五月

廿

六

农历四月二十

五日芒种 九日端午节

樊興碑

THURSDAY, MAY 26, 2016

清 喻兰

仕女清娱图册之携琴观鹤页

图中仙鹤慢行缓止，其优雅的体态吸引了女子们的关注。其中一人将琴收起，夹抱在腋下，生怕惊扰了这动人的时刻。全图赋彩丰富，冷暖色调搭配和谐，洋溢出一种纯净、典雅、安谧的情境，与轻松优美的场景相统一。

公历二〇一六年 · 农历丙申年

星期五

五月

五日芒种　九日端午节

农历四月廿一

廿七

田公德政碑

FRIDAY, MAY 27, 2016

清　任薰　停琴待月扇面

　　此幅构图简约，前景绘泛黄的树叶和凋零的枝干，表明时为红衰翠减的深秋季节；后景绘一老者独坐船头手抚琴弦的情景。萧瑟的秋风伴着琴音，营造出伤感的氛围。任薰的人物画受任熊和陈洪绶的影响较大，造型夸张，颇具高古之态。

星期六

五月

廿

八

五日芒种 九日端午节

农历四月廿二

孟颢达碑

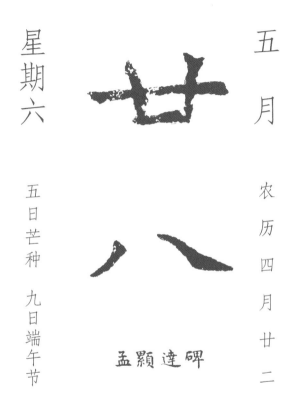

Saturday, May 28, 2016

清　张恺

升平雅乐图轴

此图所绘的是皇家演奏乐队。乐手们分列案桌两侧，左侧是打单皮鼓、铜钹、大鼓、铜锣的打击乐者，右侧是打铜锡锣和吹竹笛、唢呐的吹奏乐者。显然，作者刻画的是一个文武场的全活场面，由此可见宫廷内戏曲演出文武兼备的特性。

公历二〇一六年·农历丙申年

星期日

五月

廿九

五日芒种　九日端午节

农历四月廿三

西庙堂碑

SUNDAY, MAY 29, 2016

清　张恺等　普庆升平图卷（局部）

　　这是宫廷如意馆画家张恺等人合绘的一幅表现吉庆、纳祥、如意、太平等主题画卷的局部。图绘戏曲演奏场景，准确地反映了当时乐器的形制特征。

星期一

五月

廿日

农历四月廿四

今日三候麦秋至

嵩高靈廟碑

MONDAY, MAY 30, 2016

少林
棍

清　张恺等　普庆升平图卷（局部）

　　此图是张恺等人合绘《普庆升平》图卷中的另一刻画戏曲演奏场景的片断。这幅时隔百余年的精细写实画作，对于研究晚清戏曲文化的具体活动内容、表现形式、演出规模等有着重要的参考价值。

星期二

五月

今日世界无烟日

农历四月廿五

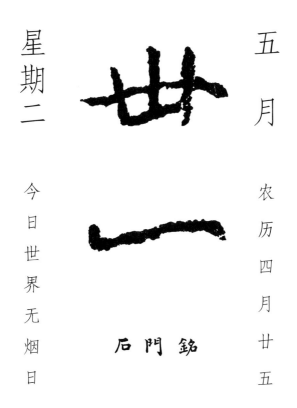

石門銘

TUESDAY, MAY 31, 2016

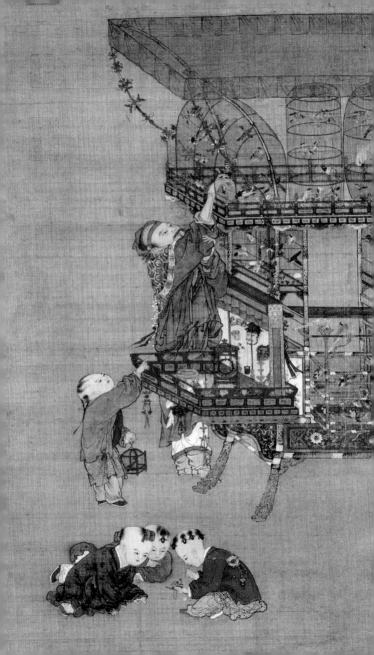

童趣天真

六
月

宋　王居正（传）　纺车图卷（局部）

此图是表现宋代乡村生活的佳作。除绘有纺线的村妇外，还绘有坐在地上，用线绑着蛤蟆腿戏耍的童子。他粗头乱服，不似甜美儿童的形貌，但是，他憨厚朴实的样子，仍不失儿童的天真可爱。该作品表现了民间百姓艰辛生活中，各有所劳、各有所乐的点点生趣。

公历二〇一六年 · 农历丙申年

星期三

六月

一日

萧憺碑

今日国际儿童节

农历四月廿六

WEDNESDAY, JUN 1, 2016

宋 佚名 货郎图轴

图绘一位走村串乡的货郎刚刚放下货担，即刻有童子走上前来的画面。货郎们沉重的货担上，不仅有繁杂的日用品，还有瓜果糕点和新奇的玩意儿。他们是儿童们最欢迎的来客。作者将儿童的欣喜、好奇，以及货郎希望热卖的心理表现得入木三分。

星期四

六月

二

五日芒种　九日端午节

日

农历四月廿七

暉福寺碑

THURSDAY, JUN 2, 2016

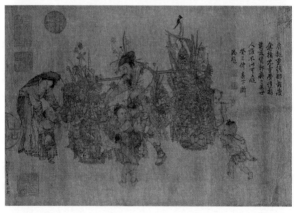

宋　李嵩　货郎图卷

货郎的到来，给寂静的山村带来欢乐，儿童们奔走相告，喜悦之情溢于言表。作者对货郎货担的描绘不厌其繁，货品交代得清晰细腻：有简单的农具、食品、百货以及"专为儿童"的玩具等。从中可见李嵩坚实的生活基础和严谨的创作态度，以及深厚的艺术功底。

星期五

六月

五日芒种 九日端午节

三日

农历四月廿八

敬史君碑

FRIDAY, JUN 3, 2016

明　佚名　货郎图轴

　　这是幅乾隆皇帝收藏的货郎图。笔致精整，设色妍丽，生动地表现了卖鸟的货郎小心翼翼地取鸟、孩童们逗鸟的开心情节。

星期六

六月

明日芒种　九日端午节

农历四月廿九

赵郡王修寺碑

SATURDAY, JUN 4, 2016

明　佚名　春景货郎图轴

　　此图表现牡丹花盛开时节，货郎挑担来到雕栏玉砌的庭院内，被孩童们欢迎的场景。其货担上满满的货物令孩童们兴奋不已。作者将孩童们贪玩的天性，表现得淋漓尽致。

星期日

今日芒种

一候螳螂生

世界环境日

芒種

泉男生志

六月五日

农历五月初一

SUNDAY, JUN 5, 2016

明　佚名　夏景货郎图轴

　　此图与李嵩《货郎图》相比，带有宫廷富贵气。货郎穿戴齐整，货架上挂有"上林佳果玉壶冰水"条幅，图绘他正向衣着华丽的宫女们卖水的情景。图中的儿童见到货郎虽然很高兴，但是，与乡村孩子相比表现得矜持和有节制。

星期一

六月

六日

孟法师碑

农历五月初二

九日端午节　廿一夏至

MONDAY, JUN 6, 2016

明 计盛 货郎图轴

　　画面柳荫树下，货郎正面露微笑地在整理货物。精致的货架内装有小鸟、各种面具、风车、宫灯等，摊前四个儿童正忘我地玩着刚买来的玩具，其举止稚嫩可爱，颇具生活情趣。此图宗法宋人笔意，画风工整华丽，充满着典雅的富贵气。

公历二〇一六年·农历丙申年

星期二

六月

七日

鄭文公碑

九日端午节 廿一夏至

农历五月初三

TUESDAY, JUN 7, 2016

明　宋旭　货郎图轴

　　此幅《货郎图》没有任何环境背景的衬托，人物形象突出。重点刻画了儿童在得到类似百宝箱后，翻箱倒柜时好奇的表情和手忙脚乱的样子。他们忙乱的举止与货郎淡定静观的神态，形成鲜明的对比。

公历二〇一六年·农历丙申年

六月

星期三

八日

农历五月初四

今日世界海洋日

道因法師碑

WEDNESDAY, JUN 8, 2016

明　张宏　杂技游戏图卷 (局部)

图绘孩童的顽皮，他们在教书先生瞌睡时，或拿大顶，或翻跟头，或给先生画眼眉等，平日被先生管束的活力全部释放。情节生动，人物形象可爱传神，显现出作者诙谐的创作情调。

公历二〇一六年·农历丙申年

六月九日

星期四

端陽

衛景武公碑

农历五月初五

今日端午节

廿一夏至

THURSDAY, JUN 9, 2016

明　蓝瑛　蕉石戏婴图轴

　　图绘在芭蕉与湖石构筑的典雅环境内，身着华服的母亲
正护着幼子观看小狗们撒欢玩耍。作者将母亲对子女的疼爱，
以及子女对母亲的依恋之情，表现得温馨而感人。全图笔致
工整细润，墨色清淡恬静，是蓝瑛人物画佳作。

星期五

六月

岳麓寺碑

今日二候鵙始鸣

农历五月初六

清　冷枚　农家故事图册之打枣页

　　图绘两个表现情态完全相反的画面：左侧绘一位倚树沉思假眠的老者；右侧绘乡村儿童在举杆打枣，他们分工明确，有的在指挥，有的在打枣，有的在拣枣，丰收的喜悦，洋溢在他们自食其力的劳动中。其欢快的笑声，没有惊动老者，老者的"静"，更衬托出他们活泼可爱的"动"。

公历二〇一六年·农历丙申年

星期六

今日中国文化遗产日

十一

玄静先生碑

六月

农历五月初七

SATURDAY, JUN 11, 2016

清　金廷标　冰戏图轴

　　金廷标是清乾隆时期最著名的宫廷画家之一，以人物画见长。此图绘严冬时节孩童们溜冰的场面，将他们小心上冰，以及相互拉扯、滑倒等各种状况，表现得情态生动，令观者心生亲切之感。

星期日

今日世界无童工日

十二

六月

农历五月初八

根法師碑

SUNDAY, JUN 12, 2016

清 金廷标 群婴斗草图轴

斗草是中国古代的传统节令游戏,以即时的花草相斗论输赢。图绘在草木茂盛的郊外,年龄相仿的十位童子,正在寻草、拔草及斗花、斗草。作者将他们幼稚的举动、认真的态度表现得恰到好处。此图受到乾隆皇帝的喜爱并且加以收藏。

星期一

六月

房彦谦碑

廿一夏至　七日小暑

农历五月初九

清　董棨　太平欢乐图册之卖山楂页

图绘童子从商贩手中买到山楂时高兴的样子。山楂果实酸甜，具有消积化滞、收敛止痢等功效，是民间常备的保健类食品。孩童将串好的山楂片当项圈戴在脖子上，其淘气的举动极为可爱。

星期二

廿一夏至　七日小暑

十四

玄林禅师碑

六月

农历五月初十

TUESDAY, JUN 14, 2016

清　董棨　太平欢乐图册之吹箫卖饧页

　　此图页对开上的题字对"吹箫卖饧"进行了解释："案浙江当春时，有以饧作为禽鱼果物之类卖与儿童者，口吹竹管如箫，名卖饧箫。"作者将穿红色衣服的儿童在等待过程中那种迫切得到的目光，刻画得准确生动。同时，将商贩卖力吹制的神态，也表现得栩栩如生。

星期三

今日三候反舌无声

六月

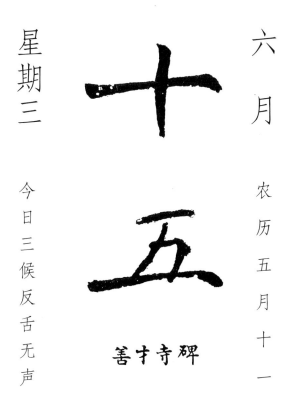

十五

善才寺碑

农历五月十一

WEDNESDAY, JUN 15, 2016

清　佚名　婴戏图册之踢毽子页

　　踢毽子又称"打鸡"，由古代蹴鞠发展而来。它起源于汉代，盛行于南北朝和隋唐，至今已有两千多年的历史了。作者将儿童踢毽子时专注的神态，以及周围小伙伴们对他关注的神情，都刻画得生动传神。

星期四

六月

十六

廿一夏至　七日小暑

农历五月十二

信行禅师碑

THURSDAY, JUN 16, 2016

清　佚名
雍正皇帝十二月行乐图之四月图轴（局部）

　　图绘身穿华服的童子们在宫墙内玩耍奔跑的场景。全图笔致工细严谨，赋彩染色浓重，青、蓝、紫、红、黄等冷暖色调的和谐的呼应中营造出一种纯净、华美的氛围。其鲜亮明丽的色调，与童子们活泼的气息及轻松娱乐的场景达到了完美的统一。

星期五

六月

今日世界防治荒漠化和干旱日

爨龍顏碑

农历五月十三

FRIDAY, JUN 17, 2016

清　华喦　桐屋闹学图轴

隐几酣眠立画成　顽童脱戴逞前莽先
便随意经事总看发贺　新罗山人写，时乾隆吉全

这是乾隆朝客居扬州的画家华喦创作的生动诙谐之作。

作者完全打破了世人对传统私塾十分严肃的想象，将儿童活泼调皮的本性表现

图绘私塾先生伏案小憩时，学童们乘机

『大闹天宫』的场景。

得淋漓尽致。

星期六

十八

六月

农历五月十四

廿一夏至

七日小暑

张猛龙碑

SATURDAY, JUN 18, 2016

清 闵贞 婴戏图轴

图绘五位童子对弈嬉戏时的快乐时光。他们无所顾忌地蹲在地上，边下棋边相互玩闹，极富童趣。全图以简洁概括的写意法勾描，其粗放的线条，将儿童天真浪漫的神态刻画得活灵活现。

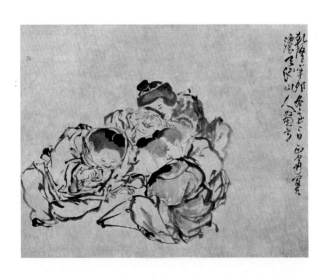

星期日

六月

廿一夏至

七日小暑

农历五月十五

十九

李仲璇修孔廟碑

清　佚名　婴戏图册之斗蟋蟀页

　　斗蟋蟀又称"秋兴"、"斗促织"、"斗蛐蛐"，是利用雄性蟋蟀勇猛好斗的习性，让它们两两相斗的博戏活动，通常在每年秋末蟋蟀的生长期举行。图绘在梧桐树下，童子们在将各自捕到的蟋蟀放至蛐蛐罐中进行较量，败者会张皇退却，胜者则张翅长鸣。

六 月

星 期 一

农 历 五 月 十 六

明 日 夏 至　 七 日 小 暑

高 贞 碑

MONDAY, JUN 20, 2016

清 佚名 婴戏图册之斗草页

图绘童子们把捡到的树叶和草编结成各种形态的动物，放于一处，相互比对，其造型精准者取胜。利用自然界触手可及的物件加以改造，变成玩具，会给儿童们带来了无比的欢乐。

六月廿一

农历五月十七

星期二

今日夏至　一候鹿角解

夏至

孟法师碑

TUESDAY, JUN 21, 2016

清　佚名　婴戏图册之洪福页

　　这是一幅带有情节性的吉祥题材画。描绘了童子们捕捉
蝙蝠贮于瓶中,通过"红"与"洪"、"蝠"与"福"的谐音,
表达了多种美好的意愿:以红色的蝙蝠上下飞舞,喻示着"洪
福齐天";以童子目视着蝙蝠取"福在眼前"。

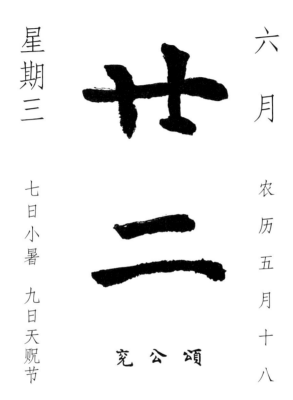

星期三

六月

七日小暑　九日天贶节

农历五月十八

廿二

兖公颂

清 佚名 婴戏图册之三多页

　　这是一幅用象征、取谐音等艺术手法来表达吉祥寓意的作品。图绘童子们在竹林的空地处放爆竹，取"竹报平安"之意。最右边的小童手执竹竿，其上顶有蝙蝠、梅花鹿和灵芝，暗示着"三多"，即多福、多禄、多寿。

星期四

六月

甘

二

高盛碑

今日

国际奥林匹克日
联合国公务员日

农历五月十九

THURSDAY, JUN 23, 2016

清　佚名　婴戏图册之戏莲页

　　图绘童子们在荷花盛开的池塘内采莲戏水的场景。此图不仅是一幅表现玩童调皮的画作，也是一幅带有美好意愿的作品。作者取"莲"与"连"相近的谐音，表达的是"连生贵子"之意。

星期五

六月

爨寶子碑

七日小暑　九日天贶节

农历五月二十

FRIDAY, JUN 24, 2016

清　佚名　婴戏图册之骑木马页

　　骑木马是一项传统的娱乐活动。图绘童子们一手扶着胯下的木马，一手执鞭，正围拢着商讨事宜。作者以写实的笔墨，准确地表现出童子们憨态可掬的天真稚拙。

星期六

六月

今日世界海员日

农历五月廿一

五

廿

同州聖教序

SATURDAY, JUN 25, 2016

清　佚名　孝全成皇后便装像图轴

　　图绘孝全成皇后与孩童在室内的生活场景。孝全成皇后（1808～1840年），于道光元年（1821年）被道光皇帝选入宫中，因才、智、貌样样都全，特赐徽号"全"字。先后被封全嫔、全妃、全贵妃、皇贵妃、皇后。她生有一子二女，其中皇子奕詝登极，称咸丰皇帝。图中的孩童正扶着凳子转，他虽然瘦小，但是身手灵活，炯炯有神的双目流露出机敏的神态。

公历二〇一六年·农历丙申年

六月

廿六

星期日

农历五月廿二

今日

二候蜩始鸣

国际禁毒日

樊興碑

SUNDAY, JUN 26, 2016

清　佚名　孝全成皇后璇宫春霭图轴

图绘孝全成皇后手牵小皇子玩耍的情形。作者通过"紧拉"这一动作，将皇后生怕皇子独自行走，出现意外伤害的贤慧，以及小皇子不愿受束缚，极力挣脱的顽皮，表现得神态毕现。

公历二〇一六年 · 农历丙申年

星期一

六月

农历五月廿三

七日小暑　九日天贶节

田公德政碑

MONDAY, JUN 27, 2016

清 佚名 大公主大阿哥荷亭晚钓图轴

图绘晚清时期，皇子阿哥、公主在荷花盛开的河塘内钓鱼的场景。手执秀巧纨扇的公主，头上插着鲜花，手上戴着金镯，显露出爱美的天性。阿哥身穿蓝色带暗花的丝绸长褂，腰上系着镶翠的腰带，并且挂着做工精致的扇袋等，华贵的服饰显露出其高贵的皇家身份。钓鱼本是最普通的消夏生活，但是在宫廷画家的笔下，公主、阿哥的钓鱼具有了更多的贵族气。

星期二

六月

廿八

七日小暑　九日天贶节

农历五月廿四

孟颗达碑

TUESDAY, JUN 28, 2016

清 佚名 大公主大阿哥庭院游戏图轴

图绘公主和皇子阿哥在玉兰花、蝴蝶兰、野菊花竞相绽放的幽静庭院内，意欲点放爆竹的瞬间。作者将他们怕被爆竹崩到，准备及时逃跑的神态描绘得活灵活现，尤其是将阿哥为了迅速地逃跑提前踮起了右脚，并且将褂的下摆提起等细节，刻画得细致入微。

星期三

六月

七日小暑　九日天贶节

农历五月廿五

廿九

西廟堂碑

WEDNESDAY, JUN 29, 2016

清 任熊
姚大梅诗意图册之婴戏页

此图表现的是姚大梅『扫鲜花影中，坐作宾朋嬉』的诗意。图绘儿童们将各自的玩具摆放在一起，相互嬉戏玩闹的场景。作者以细致的观察力和深厚的写实功底，将儿童们天真活泼、随心所欲的举止，刻画得出神入化。

星期四

六月

廿日

农历五月廿六

七日小暑　九日天贶节

嵩高靈廟碑

THURSDAY, JUN 30, 2016

宫闱清娱

七月

晋　顾恺之　列女图卷（宋摹）

　　又名《列女仁智图》。汉光禄大夫刘向为劝谏汉成帝，编辑成《列女传》一书，全书按妇女的封建行为道德准则和给国家带来的治、乱后果，分为母仪、贤明、仁智、贞顺、节义、辨通、嬖孽七卷，此卷即依据其中"仁智卷"部分所绘，颂扬历史典故中杰出的女性。

公历二〇一六年·农历丙申年

星期五

三候半夏生

香港回归纪念日　建党纪念日

七月

农历五月廿七

萧憺碑

FRIDAY, JUL 1, 2016

晋 顾恺之

列女图卷（宋摹 局部）

此图绘『卫灵公与夫人识贤』故事。某夜，卫灵公与夫人听到宫门外时停时起的马车声，夫人认定是蘧伯玉从门前经过，她说伯玉是贤臣，唯有他能在夜间还恪守礼制，途经宫门时，会下车轻声缓行。卫灵公派人出去查询，果真是伯玉。

公历二〇一六年·农历丙申年

星期六

七月

二日

农历五月廿八

七日小暑　九日天贶节

暉福寺碑

SATURDAY, JUL 2, 2016

晋 顾恺之
列女图卷（宋摹 局部）

此图绘『曹僖负羁妻』故事。晋国公子重耳因国乱逃到曹国，受到曹恭公的鄙视。曹国大臣曹僖负羁听从其妻的劝导，托食盘和玉璧，善待重耳。重耳复国后，大举进攻曹国，在战乱中，曹僖负羁的家人和前来避乱的百姓均得到晋军的保护。

星期日

三日

敬史君碑

七月

农历五月廿九

七日小暑 九日天贶节

唐　阎立本　步辇图卷（摹本　局部）

图绘唐代贞观十四年（640年）冬十月，唐太宗接见吐蕃首领松赞干布特使禄东赞的场景。唐太宗坐于辇上，有宫女九人在其前后左右分列服侍。她们轻松活泼的体态，为这一重要的外交场合增添了几多活跃的气氛。

星期一

七月

四

农历六月初一

七日小暑 九日天贶节

日

赵郡王修寺碑

MONDAY, JUL 4, 2016

唐　周昉（传）　挥扇仕女图卷（局部）

　　出身贵族的周昉在此图卷的创作上，不仅真实地反映了唐代宫廷女子的精神面貌和生活状态，而且也展示出自身高妙的艺术造诣。本图绘妃嫔执扇慵坐的正面画像。线条工整细挺，或弯或直，富于表现力，准确地描绘出精工巧雕的木质宫椅及妃嫔穿着的丝质裙袍等不同质感。同时，作者通过在画绢上运笔设色的娴熟技巧及深厚的笔墨造形功力，将妃嫔涣然散坐的姿态刻画得惟妙惟肖，进而将其慵懒无聊的内在情态表现得淋漓尽致。

公历二〇一六年·农历丙申年

星期二

七月

五

日

七日小暑　九日天贶节

农历六月初二

龍藏寺碑

TUESDAY, JUL 5, 2016

唐 周昉 (传) 挥扇仕女图卷 (局部)

图绘妃嫔解囊抽琴的瞬间。这是一幅化动为静的作品，图绘持琴者目不转睛地注视着解囊者，解囊者全神贯注地悉心解囊，专注的神态使动作的瞬间定格下来。这也是一幅以虚带实的画作，作者通过深厚的写实功底和丰富的想象力，将本是被绣囊包裹着的琴体刻画得形象逼真，丝弦琴韵犹在眼前。

星期三

七月

农历六月初三

明日小暑　九日天贶节

孟法师碑

WEDNESDAY, JUL 6, 2016

唐 周昉（传） 挥扇仕女图卷（局部）

图绘妃嫔对镜理妆的情景。作者以写实求真的笔法，描绘妃嫔头部微低，双目紧盯铜镜，以调整最佳照镜角度；同时，也生动传神地表现出她双手缓缓理妆的优雅体态。图中持镜的宫人身着带有纹饰的红色衣袿，照镜的妃嫔则身着淡彩的衣袍，其着装虽不显眼，但她轻巧的理妆动态却引人注目，其衣装也因此显得高贵典雅。

星期四

七月七日

小暑

雁塔聖教序

农历六月初四

今日小暑

一候温风至

七七事变纪念日

THURSDAY, JUL 7, 2016

唐　周昉（传）　挥扇仕女图卷（局部）

　　图绘三位妃嫔围绣案做女红的场景。这是一幅构图巧妙的画作。三位妃嫔各居一方，或缝纫，或持针，或沉思，彼此间并没有肢体上的交接或者眼神上的顾盼，但作者却巧妙地通过矩形的地毯以及四边形的绣案，将她们连接成一个共同劳作的有机整体。地毯与绣案既是画作中辅助人物活动的点缀品，也在构图上起到加强人物之间彼此关联的作用。

公历二〇一六年·农历丙申年

星期五

八

日

七月

农历六月初五

九日天贶节　廿二大暑

道因法师碑

唐　周昉(传)　挥扇仕女图卷(局部)

　　此图表现的是妃嫔的背面形象。该图匠心独运的构思，有别于历代仕女画的创作，由此也更加突显了作者以线塑形、以形写神的造型能力。虽然最能展现人物内心活动的面部表情没有被刻画，但是通过人物悬空的轻抬手臂、慢摇纨扇的轻柔举止和她随意舒展的坐姿，可以感受到她悠闲小憩的自得神态，以及她在这种状态下所流露出的安详容颜。

星期六

七月九日

农历六月初六

今日天贶节 廿二大暑

九成宫醴泉铭

宋 佚名

女孝经图并书卷（局部）

《女孝经》是唐代朝散郎侯莫陈邈（侯莫陈为三字复姓）妻邓（或曰郑）氏编撰。邓氏因侄女策被封为永王妃，于是作此书以规戒其行为，告诫女性应该遵守的礼仪、言行准则。此图卷以图解的形式分九段，依次表现的内容有：一、开宗明义章；二、后妃章；三、三才章；四、贤明章；五、事舅姑章；六、邦君章；七、夫人章；八、孝治章；九、庶人章。

星期日

七月

岳麓寺碑

廿二大暑　七日立秋

农历六月初七

SUNDAY, JUL 10, 2016

宋　佚名　女孝经图并书卷（局部）

　　图中人物的衣纹为铁线描，线条匀细，富有弹性。树叶为笔法工整的双钩填色，枝叶相互叠加，既有层次又不失之于琐碎，显示出作者细致的观察能力和写实功力。人物造型精准，体态生动，显现出宋代成熟的工笔人物画风。

星期一

七月

今日世界人口日

农历六月初八

玄静先生碑

MONDAY, JUL 11, 2016

宋　佚名　女孝经图并书卷（局部）

此图卷依据表现内容的不同形成各自独立的画面，同时作者利用人物的造型、服饰及统一的笔墨形式，又使各图之间既相对独立又彼此联系呼应，从而达到了形散而神聚的艺术效果。人物的神态皆雍容大方、端庄娴静，动作举止亦守规守矩，从而生动地图解了母仪、贤明、仁智等操守规则。

星期二

今日二候蟋蟀居壁

十二

根法師碑

七月

农历六月初九

TUESDAY, JUL 12, 2016

明 唐寅 王蜀宫妓图轴

图绘五代前蜀后主王衍的四位宫妓整妆的情景。她们身着云霞彩饰的道衣，头戴莲花冠，以投王衍喜观宫妓着道装之好。图中仕女面部的刻画运用了唐妆的"三白法"，即在额头、鼻梁及下颌处施以白粉，使得人物面部显得清秀娟美。

星期三

七月

房彦谦碑

农历六月初十

廿二大暑 七日立秋

WEDNESDAY, JUL 13, 2016

清 冷枚 十宫词意图册之吴宫页

　　本图页刻画的是"青龙舟里换晨妆"诗意。春秋时期越国美女西施，被战败的越王勾践献给胜利者吴王夫差为妃。吴王为她建造了春宵宫，宫内设水池可划青龙舟，于是与她日日沉迷于水戏。最终，吴国被越国所败。图绘西施乘龙舟时对镜梳妆的景象。

星期四

廿二大暑 七日立秋

七月

农历六月十一

玄林禅师碑

THURSDAY, JUL 14, 2016

清　冷枚　十宫词意图册之楚宫页

本图页刻画的是"帘幙风轻袅细腰"的诗意。楚灵王好细腰，不论男女，要想引起他的关注，一定要腰细，于是，许多人为投其所好，节食减肥。图绘佳丽在春暖花开时节，起舞弄清影，展示曼妙的细腰身姿。

星期五

七月

十

五

善才寺碑

廿二大暑 七日立秋

农历六月十二

FRIDAY, JUL 15, 2016

清 冷枚 十宫词意图册之魏宫页

　　魏国位列战国七雄之一，其执政者屡屡与诸侯国拔剑论战，最后仍然为秦国所灭。此图刻画了魏宫女子"不为夜台听不见，悲歌一曲向西陵"的诗意，以生动而形象的画面表达了诗作者弘历对失去亲人的魏国宫眷们的同情。

公历二〇一六年 · 农历丙申年

星期六

十六

七月

廿二大暑 七日立秋

农历六月十三

信行禅师碑

SATURDAY, JUL 16, 2016

清　冷枚　十宫词意图册之晋宫页

    本图页刻画的是晋武帝司马炎"只驾羊车日夜游"的诗意。司马炎富有权谋，但是又极度奢侈荒淫。传他在巩固政权后，常坐羊车在宫内游幸，羊停在哪个宫前便在哪儿留宿。图绘佳丽们纷纷迎驾，企盼得到恩宠。

星期日

七月

今日三候鹰始挚

农历六月十四

爨龍顔碑

今日初伏第一天

SUNDAY, JUL 17, 2016

清 冷枚 十宫词意图册之隋宫页

　　本图页刻画的是"海错山珍杂绮罗，銮舆空待未曾过"诗意。图绘宫女们在宽阔的宫院内徘徊。她们等不到的是君王的宠幸，空守的是无奈的寂寞。作者在中国传统界画的基础上，运用了西洋焦点透视法，成功地表现出庭院错落的空间层次。

星期一

七月

廿二大暑 七日立秋

农历六月十五

十八

張猛龍碑

MONDAY, JUL 18, 2016

清　冷枚　十宫词意图册之唐宫页

　　本图页刻画的是"何事宫娥群戏剧，应缘分得洗儿钱"诗意。此诗与唐王建《宫词》"妃子院中初降诞，内人争乞洗儿钱"表达的是同一个意思。洗儿钱是指婴儿出生后三天，给婴儿洗身时，前来恭祝的亲朋好友们赠送的喜钱。此项民俗活动自唐朝开始在宫廷和民间盛行。

星期二

七月

十九

农历六月十六

廿二大暑　七日立秋

李仲璇修孔廟碑

TUESDAY, JUL 19, 2016

清　佚名　雍正皇帝行乐图轴

　　雍正皇帝是位喜欢"入画"的皇帝，他称帝前后，令擅画者绘有大量他独自或者与宫眷们行乐的画作，此图是其中表现他与后妃们在庭院内避暑的一幅。图绘面容清瘦的雍正皇帝，身着蓝色便服坐于室内，屋外是其后妃。后妃们面容端庄，举止文雅，显现出蕙心纨质的风韵。

星期三

七月

廿二大暑　七日立秋

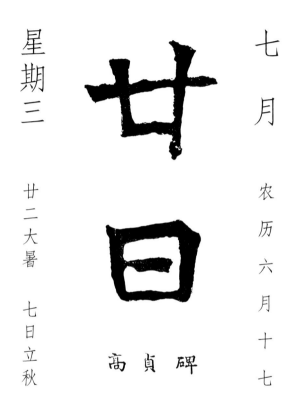

廿

日

高 贞 碑

农历六月十七

清　佚名　雍正皇帝行乐图轴

　　此图是宫廷画家绘雍正皇帝、皇后及皇子采花而归的汉装像，人物具有肖像画特征。雍正皇帝共有两位皇后，即雍正元年册封的孝敬宪，和在雍正皇帝过世后由贵妃晋为皇后的乾隆皇帝之母孝圣宪，本图所绘应该是孝敬宪皇后。

星期四

七月

明日大暑

农历六月十八

七日立秋

端州石室記

THURSDAY, JUL 21, 2016

清 金廷标 簪花图轴

  梳妆打扮是贵族妇女每日生活中的重要内容之一，对此，她们不敢有丝毫的怠慢。图绘晨起的女子对镜理妆的情景。为了取得良好的照镜角度，主人公不禁起身而立，双目注视着桌上的铜镜，同时，左手缓缓地往云鬓上插玉簪。人物举止自然生动，笔墨精细，是幅难得的宫廷仕女画佳作。

星期五

七月廿二

农历六月十九

今日大暑 一候腐草为萤

歐陽詢行書千字文

FRIDAY, JUL 22, 2016

清 金廷标 婕妤挡熊图轴

此画取材于《列女传》，描绘的是婕妤冯媛（？～前6年）
舍命挡熊救护汉元帝的故事。一次，汉元帝率众妃观看斗兽，
黑熊突然从兽圈里跳出，扑向元帝。危急时刻，只有冯媛毫
不犹豫地挺身挡熊，保护元帝。从此，"婕妤挡熊"成为赞扬
女子品行高尚的一段佳话，也成为称颂女德的重要表现题材。

星期六

七月

廿

三

农历六月二十

七日立秋 九日七夕

高盛碑

SATURDAY, JUL 23, 2016

清　丁观鹏　宫妃话宠图轴

　　此图表现的是古代宫中女子亭台小憩的生活。作者以饰有行龙纹的青花瓷瓶及松、竹、兰、桂等花木，来表现宫妃们高贵的身份和清雅淑媛的气质。通过对人物眼神、姿态、衣着的具体描绘，展现出宫妃们闲话时的安逸神态与心境。

星期日

七月

爨寶子碑

农历六月廿一

七日立秋　九日七夕

SUNDAY, JUL 24, 2016

清　佚名　乾隆皇帝妃古装像轴

　　图绘乾隆皇帝的妃子对镜梳妆的情景。她双目紧盯着面前的铜镜，正在认真地往头上戴金钗。妆容的齐整，是显示其女德修养的一个重要方面，因此，她要亲自插戴，动作一丝不苟。

星期一

七月

七日立秋　九日七夕

农历六月廿二

同州聖教序

MONDAY, JUL 25, 2016

清　佚名　塞宴四事图横轴（局部）

　　乾隆皇帝热衷于木兰秋狝，除狩猎、习武练兵外，另一个重要的目的，就是借此与塞外民族，尤其是漠南、漠北蒙古贵族，进行联谊活动。图绘参加活动的后妃们，她们具有肖像画的特征，其中戴高皮帽的异族装扮者，被认为是香妃。

星期二

七月

廿六

七日立秋 九日七夕

农历六月廿三

樊興碑

TUESDAY, JUL 26, 2016

清 佚名 孝慎成皇后观莲图轴

孝慎成皇后（1790～1833年），佟佳氏，满洲镶黄旗人，世袭三等承恩公、追封一等公舒明阿女。于道光二年（1822年）被立为皇后。图绘她在荷塘边身着夏装的立像。她头上插戴着红、白荷花，表明她追求时尚的爱美之心。她手执绘兰的成扇轻展慢摇，兰以清幽被誉为花卉中的"君子"，作者借此赞誉皇后的高洁情怀。

公历二〇一六年·农历丙申年

七月

星期三

廿七

农历六月廿四

今日二候土润溽暑

田公德政碑

今日中伏第一天

WEDNESDAY, JUL 27, 2016

清 佚名 孝慎成皇后观竹图轴

　　图绘孝慎成皇后执扇画像。其周围鲜花盛开、翠竹绿影婆娑，一派欣欣向荣的景致。皇后梳二把头发型，眉形平展纤细，下唇一点鲜红，这是清宫女子的典型妆容。皇后佩戴的珍珠、翠镯、指甲套等也体现了鲜明的时代特征，它们具有皇家制作工艺精湛、用料精美的特点。

星期四

七月

今日世界肝炎日

农历六月廿五

孟颙达碑

THURSDAY, JUL 28, 2016

清　佚名　英嫔春贵人乘马图轴

　　此图绘英嫔和春贵人并肩骑马像。她们头戴双眼顶戴暖帽，身穿黄马褂，腰佩弯刀，一副戎装模样，与所有画作中清宫妃嫔的形象截然不同。全图笔法精整工巧，细劲轻利的线条勾描出她们丰姿绰约、楚楚动人的体态。

星期五

七月

西庙堂碑

七日立秋　九日七夕

农历六月廿六

FRIDAY， JUL 29， 2016

清　佚名　孝贞显皇后璇闱日永图轴

孝贞显皇后（1837～1881年），钮祜禄氏，广西右江道穆扬阿之女。于咸丰二年（1852年）被选秀入宫，初封贞嫔、贞贵妃，十月奉旨立为皇后。咸丰十一年（1861年），咸丰帝崩逝后，与孝钦显皇后两宫并尊，称母后皇太后，又称东太后，上徽号曰慈安皇太后。此图画法工整精细，衣冠服饰刻画真实，体现出皇家气派和皇后端庄贤慧的内在气质，是了解孝贞显皇后年轻时形象的重要资料。

星期六

今日国际友谊日

廿日

嵩高霅廟碑

七月

农历六月廿七

SATURDAY, JUL 30, 2016

清 佚名 孝贞显皇后像轴

　　图绘孝贞显皇后坐于湖石上，形象俏丽，神态端庄。其身后配以各色牡丹及修竹数枝。竹以其虚静有"君子"之称，牡丹以其雍容有"富贵"之誉。作者以翠竹与牡丹相配，赞誉孝贞显皇后具有虚怀若谷的品格和高贵典雅的气质。

公历二〇一六年 · 农历丙申年

星期日

七月

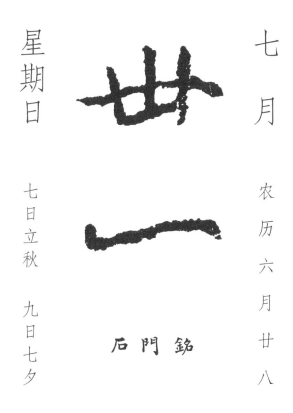

七日立秋　九日七夕

农历六月廿八

石門銘

SUNDAY, JUL 31, 2016

悠然雅集

八月

五代 周文矩 文苑图卷 (宋摹)

　　本幅上无作者款识，宋徽宗题"韩滉文苑图"。据现代书画鉴定专家考证，它的作者是五代周文矩，此图是周文矩《琉璃堂人物图》卷原作的后半部分，表现的是唐玄宗时著名诗人王昌龄在任江宁（今江苏南京）县丞期间，于县衙门旁建琉璃堂，以诗会友的场面。

星期一

八月

今日建军节 三候大雨时行

农历六月廿九

一日

萧憺碑

MONDAY, AUG 1, 2016

宋 马和之
后赤壁图赵构书赋卷（局部）

此图是马和之依照北宋著名文学家、政治家苏轼《后赤壁赋》文意所绘，以绘画的形式生动地再现了赋文内容，为历代《赤壁图》中的经典之作。图绘苏轼被贬为黄州（位于湖北省）团练副使后，与友人泛舟至当地的赤壁（并非三国时赤壁大战之地）游玩。他们在船上饮酒赋诗，排解胸中愤懑之情。

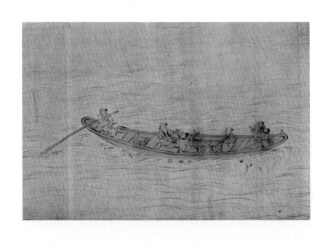

星期二

八月

二

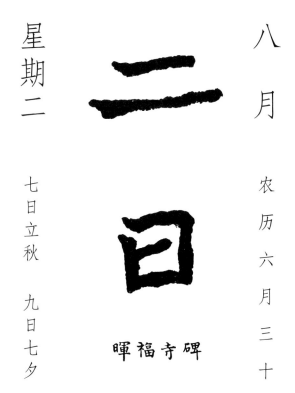

日

晖福寺碑

七日立秋　九日七夕

农历六月三十

TUESDAY, AUG 2, 2016

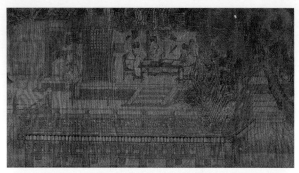

宋 佚名 会昌九老图卷 (局部)

图绘白居易于唐会昌五年 (845 年) 在洛阳与八位友人举行尚齿会 (敬老会) 的情景。他们置身于苍松翠柏掩映的典雅园林内，或抚琴赏乐，或观画读书，或泛舟对弈等，其乐无穷。

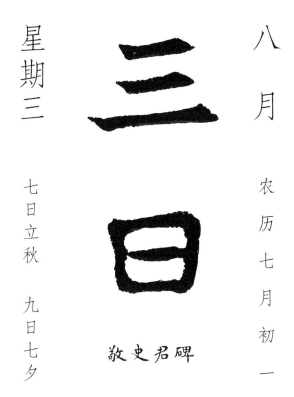

星期三

三日

八月

农历七月初一

七日立秋　九日七夕

敬史君碑

WEDNESDAY, AUG 3, 2016

明 佚名 五同会图卷（局部）

此图绘明中期弘治末年五位苏州籍高官，即礼部尚书吴宽、礼部侍郎李杰、南京都察院副都御史陈璚、吏部侍郎王鏊以及太仆寺卿吴洪，在北京的雅集活动。吴宽在《五同会序》中解释「五同」，即指「同时也，同乡也，同朝也，而又同志也，同道也，因名之曰五同会，亦曰同会者五人尔」。五位志同道合者以其高官显宦的政治地位和深厚的文化素养，使得此次雅集成为文坛上的美谈。

星期四

八月

七日立秋　九日七夕

农历七月初二

赵郡王修寺碑

THURSDAY, AUG 4, 2016

明 文徵明 东园图卷（局部）

东园位于南京钟山东凤凰台下，是明代开国重臣徐达的五世孙徐泰的私家别墅区。此图是文徵明六十一岁（明嘉靖九年，1530年）时所绘，表现了徐氏与友人在东园雅集时的情景。园内平湖静水、密树秋林，不仅增添了清幽的意境，表现出江南园林的特色，而且形成构图上的虚实对比，是文氏山水画的代表作。

公历二〇一六年 · 农历丙申年

星期五

五日

八月

农历七月初三

七日立秋　九日七夕

龍藏寺碑

FRIDAY, AUG 5, 2016

明 文徵明 惠山茶会图卷（局部）

惠山，又名慧山，坐落在江苏无锡县西，西域僧慧照曾居此山，故名。据蔡羽序记，明正德十三年（1518年）二月十九日，时年四十九岁的文徵明与蔡羽、王守、王宠、汤珍等人至惠山品茗饮茶，吟诗唱和，事后文氏即创作了此图。该画卷的构图采用截取式，突出「茶会」场景，设色以青绿为主调，青山绿树营造出的幽雅环境，与文人的茶活动相映衬，具有情景交融的诗意。

公历二〇一六年·农历丙申年

星期六

八月

六

农历七月初四

明日立秋 九日七夕

日

孟法师碑

S A T U R D A Y ,   A U G   6 ,   2 0 1 6

明 佚名 十同年会图卷（局部）

此图画的是明英宗天顺八年（1464年）甲申科进士，时在弘治年间任重臣的十位高官群像，他们分别是李东阳、戴珊、刘大夏、闵珪、曾鉴、王轼、焦芳、陈清、谢铎和张达。弘治十六年（1503年）三月二十五日，适逢王轼来朝，他们十人便在闵珪宅第聚会，诗文唱和，其乐融融。事后特请画工绘制此群像，并各自题诗纪念。

公历二〇一六年 · 农历丙申年

星期日

八月七日

立秋

郭家廟碑

农历七月初五

今日立秋 一候凉风至

SUNDAY, AUG 7, 2016

明 仇英 兰亭修禊图卷（局部）

东晋永和九年（353年）三月三日，王羲之与谢安、孙绰等四十一人在「茂林修竹」、「清流激湍」的山阴之兰亭，举行了盛大的饮酒赋诗雅集活动。事后，「兰亭雅集」、「兰亭修禊」便成为文人雅集的代称。此图以工笔重彩的画法描绘了王羲之《兰亭序》中景象，也反映了仇英笔墨俊雅、设色清丽、造型严谨的风格特点。

星期一

八月

八

日

农历七月初六

明日七夕 十七中元节

道因法师碑

MONDAY, AUG 8, 2016

明 仇英 兰亭图扇面

　　图绘晋代著名书法家王羲之在水榭上观鹅、赏鹤的情景。全图布局清旷疏朗，湖石、绿柳沿溪布列，景色优美。人物刻画生动又富神采。山石、溪流、白云及水榭等色泽华美而不艳俗，笔法工中带写，既师承了南宋赵伯驹、刘松年细笔一路的画风，又有所变格，为仇英小青绿山水画精品。

星期二

八月九日

七夕

农历七月初七

今日七夕 十七中元节

玄秘塔碑

TUESDAY, AUG 9, 2016

明 仇英 人物故事图册之松林六逸页

　　"六逸"是指唐代天宝年间结社于山东泰安徂徕山下的李白、孔巢父、韩准、裴政、张叔明、陶沔六位富文才的高士。此图描绘他们在虬松古树下小憩、吟诗、交谈的情景。图中家僮或持卷，或携琴，或捆扎书卷，他们的行为也衬托出主人儒雅自得的爱好和情愫。

星期三

八月

十

日

农历七月初八

十七中元节 廿三处暑

岳麓寺碑

WEDNESDAY, AUG 10, 2016

明　仇英　人物故事图册之竹园品古页

　　赏古鉴古是文人雅集中一项重要的活动内容。图绘三位
高士观赏宋人册页的场景。根据画面情节，表现的是宋代苏
轼、王诜、米芾品古故实。他们面部刻画细致传神，表现出
睿智与自信。图中的台案上还摆放有青铜器以及瓷器等器皿，
它们不仅充实了画面，令构图更为饱满，而且映衬出高士们
的崇古情怀。

星期四

八月

十七中元节　廿三处暑

农历七月初九

玄静先生碑

THURSDAY, AUG 11, 2016

明 王允安 兰亭图卷（局部）

此图描绘了东晋王羲之等人于兰亭雅集时的场景。作者巧妙地借助山形水脉，将雅集中的人物有机地连为一体，形成杂而不乱的布局效果。全图以墨笔白描法刻画，洗尽铅华的笔墨，与东晋文人淡泊散逸的品格，相得益彰。

星期五

八月

十二

根法師碑

今日二候白露降

农历七月初十

FRIDAY, AUG 12, 2016

明 尤求 品古图轴

图绘一高士双手展卷、欣赏字画的惬意神态。其余者或昂首凝思，或与童子交谈，全图动静结合，真实地反映了文人雅集时一种自然随意的状态。园中湖石、翠竹、芭蕉等景物，衬托出文人淡泊高逸的情调，为画作陡增清幽之美。

十三

房彦谦碑

星期六

十七中元节　廿三处暑

八月

农历七月十一

SATURDAY, AUG 13, 2016

明 陈洪绶、华嵒 西园雅集图卷（局部）

　　有关"西园雅集"的绘画题材，最早取自宋代李公麟与王诜、苏轼、米元章等人的一次文人聚会，为此李公麟曾绘《西园雅集图》以作纪念。此后，历代文人画家多有类似作品问世，并且冠以"西园雅集图"名。本图由华嵒在陈洪绶未完成的基础上，补笔而成，也可以称之为合笔之作，图绘三五成群的文人雅士在山峦叠翠间题画赋诗、研讨切磋的场景，表现出文人以山水为乐、以笔墨为修养，怡然自得的情趣。

星期日

十七中元节 廿三处暑

八月

农历七月十二

十四

玄林禅师碑

SUNDAY, AUG 14, 2016

明　郑重　品古图扇面

　　本图作者将扇面分作三个部分，巧妙地展现了高士们鉴古的过程。扇面的左侧是正在观赏图册的高士，右侧是等待鉴赏的青铜器，连接左右两侧的是抱着器物和书画轴前来侍候的侍者。高士们的鉴古在如此雅静的环境中进行，体现了他们对前贤经典的敬仰。

公历二〇一六年·农历丙申年

星期一

八月

十
五

农历七月十三

十七中元节 廿三处暑

善才寺碑

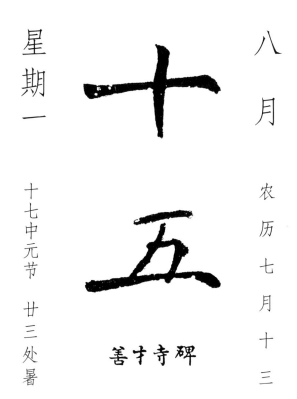

MONDAY, AUG 15, 2016

清　佚名
雍正皇帝十二月行乐图之三月图轴（局部）

　　图绘风和日丽的春天里，高士们还在室内沉浸于学问的探讨中，他们有的手捧书卷苦心查阅，有的围坐在一起相互切磋。满园春色只有雍正皇帝独享，他漫步在曲水岸边，闻着桃花散发出的清香，看着鱼儿自由自在地游动，心旷神怡。此图所反映出的平和景象，正是雍正皇帝治国安邦的理想追求。

公历二〇一六年·农历丙申年

星期二

八月

十六

农历七月十四

明日中元节 廿三处暑

信行禅师碑

今日末伏第一天

Tuesday, Aug 16, 2016

清　佚名
雍正皇帝十二月行乐图之四月图轴（局部）

　　历史上最著名的雅集当属晋朝王羲之等人的"兰亭雅集"，文人们希望与志同道合的友人吟诗作画，或者讨论学问，作为国朝天子的雍正皇帝对这种文事活动也非常地向往，因此谕令宫廷画家绘此图，以示心迹。

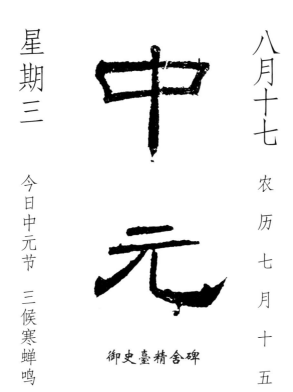

星期三

今日中元节　三候寒蝉鸣

中元

御史臺精舍碑

八月十七

农历七月十五

WEDNESDAY, AUG 17, 2016

清　佚名
雍正皇帝十二月行乐图之九月图轴（局部）

　　图绘各色菊花竞相绽放，以其斑斓的色彩装扮着雅致的皇家园林。身着汉装的文人们已耐不住秋色的诱惑，纷纷放下书卷，在花前雅集，点评花容花貌。与他们成对比的是，圆形的月亮门内，雍正皇帝则在静静地提笔书画。在纷扰中寻求一分清静，正是雍正皇帝的内心追求。

星期四

八月

十八

廿三处暑

七日白露

农历七月十六

張猛龍碑

THURSDAY, AUG 18, 2016

清　佚名
雍正皇帝十二月行乐图之十月图轴（局部）

　　此图以对比的手法绘石桥两岸的不同景观；一处是雍正
皇帝身穿红袍，正静静地让老者给他绘像；另一处则是热闹
喧哗的文人雅集场景，十余位文人或观看书法挂轴，探讨笔
墨，或赏玩器物，品古鉴真。作者将文人看到精妙之作时兴
奋高亢的神情，刻画得栩栩如生。

星期五

八月

十九

农历七月十七

今日世界人道主义日

李仲璇修孔庙碑

FRIDAY, AUG 19, 2016

清　姚文瀚　勘书图轴

　　此图是宫廷画家姚文瀚奉乾隆皇帝谕旨所作。图绘酷暑时节，高士们勘书雅集的文事活动。图中人物造型生动，用笔精细工整，设色绚丽清雅而又沉着，是宫廷人物画的佳作。

星期六

八月

廿

廿三处暑 七日白露

农历七月十八

日

高贞碑

SATURDAY, AUG 20, 2016

清 冯宁 西园雅集图扇面

　　此图通过芭蕉、竹石等园林的自然景观，巧妙地将画面分割成六个表现文人雅集活动的场所。文士们有的挥毫写书作画，有的题壁留墨，有的拨阮演乐，有的在与高僧对晤等。每个场景在形式上各自独立，在内容上高度统一，突出了"雅集"的主题。

八 月

星 期 日

农 历 七 月 十 九

廿 三 处 暑

七 日 白 露

端州石室记

SUNDAY, AUG 21, 2016

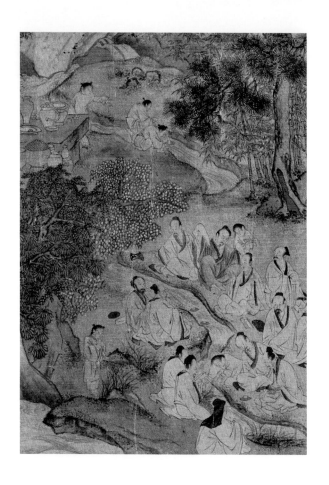

清　沈时　兰亭修禊图卷（局部）

　　此图表现的是广为流传的文坛佳话"兰亭修禊"。图绘"茂林修竹"，"清流激湍"，文人作品雅士咸集，或吟诗，或小憩，或三两交谈等，仆童侍奉其间。作品表现了士大夫之间交际唱酬的闲情逸致，并传递出"情随事迁"，"修短随化"，"世殊事异，所以兴怀"的同道之志。

星期一

八月

廿二

明日处暑

七日白露

农历七月二十

尢公颂

MONDAY, AUG 22, 2016

清 蔡泽 蕉荫作画图轴

图绘文人雅士切磋书画的情景。布局匠心独运，以芭蕉与湖石作前、后景，它们相夹的中景绘文人相聚的绘画场面，从而突出了"蕉荫作画"的主题。图中"扶疏似树，质则非木，高舒垂荫"的阔叶芭蕉，以淡墨绿晕染，温润华滋，表现出芭蕉饱含水分的宽厚特性。

公历二〇一六年·农历丙申年

八月廿三

星期二

處暑

同州聖教序

农历七月廿一

今日处暑 一候鹰乃祭鸟

TUESDAY, AUG 23, 2016

清 王概 玉山观画图轴

据图上作者自题而知，此图绘元代昆山名士、书画鉴藏家顾仲瑛（号玉山主人）与友人杨铁崖、黄一峰等人观画雅集的场景。顾仲瑛依仗雄厚的财力，广泛搜集古书名画、鼎彝珍玩，并且广邀天下名士，日夜在其玉山草堂与宾客置酒高会、啸傲山林。此图准确地刻画出顾氏与友人在赏画过程中的专注神情。

星期三

八月

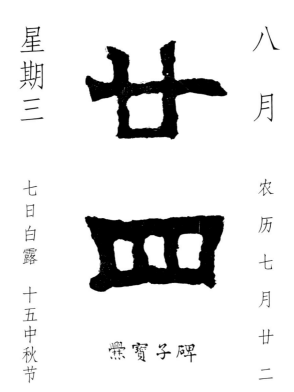

七日白露　十五中秋节

农历七月廿二

爨寶子碑

清 黄慎 商山四皓图轴

　　"商山四皓"是指为避秦暴政而隐居商山（今陕西省商县东南）的秦末四位有渊博文化修养的八十岁老者，即东园公、夏黄公、绮里季、甪里先生。图绘汉使臣迎请四皓出山辅佐太子刘盈，见老者们研习笔墨的情景。全图笔姿放纵而又不失法度，与四皓洒脱率意的人品相契合，是扬州画派名家黄慎七十五岁时的佳作。

星期四

八月

廿

五

农历七月廿三

七日白露　十五中秋节

同州聖教序

THURSDAY, AUG 25, 2016

清　张翎　西园雅集图轴

　　雅集作为古代文人的一种传统聚会形式，是文人生活中
不可或缺的交往方式，也是为文人所追求的一种风尚，亦成
为文人画家最喜欢表现的题材之一。此图以山石、树木、溪
流隔断出数个自然空间，刻画了多个雅集场面，反映了宋代
文人游戏翰墨、唱和应答的雅趣。

公历二〇一六年·农历丙申年

八月

廿六

星期五

农历七月廿四

七日白露 十五中秋节

樊興碑

FRIDAY, AUG 26, 2016

清　王云　文会图轴

此画轴以纵向构图的方式表现了文人雅集的三个层次：创作前的沉思默想、挥毫提笔的认真创作和展卷共赏的相互探讨。全图人物面貌和神态刻画得细腻传神，四周景物的空间比例以及庭院、厅堂、馆舍的布局合理，显现出作者较强的艺术功底。

公历二〇一六年 · 农历丙申年

星期六

八月

田公德政碑

七日白露 十五中秋节

农历七月廿五

SATURDAY, AUG 27, 2016

清　任熊

姚大梅诗意图册之秋林雅集页

此图绘『相对有良友，如何不抚琴』的诗意，表现情投意合的文人相聚时，以琴助兴的情景。作者并没有绘琴被弹奏时的场面，而特意画了一童子抱着琴缓缓走来。虽然琴在画面中的比例很小，但是由于它处于画作的中心位置，使得它在文人雅集中的重要性得到凸现。

星期日

八月

今日二候天地始肃

农历七月廿六

廿

八

孟颢达碑

SUNDAY, AUG 28, 2016

清　任熊

姚大梅诗意图册之三苏雅聚页

由图上题『三苏如天骊，雅步古所稀』悉知，此图主体人物是北宋著名散文家苏洵和他的儿子苏轼、苏辙。作者发挥想象力，拟设了一个苏洵教子读书的场景，不仅将三位大文豪巧妙地置于同一个学习环境中，而且，暗示出苏氏家族人才辈出，缘于文学修养薪火相传。

星期一

八月

今日禁止核实验国际日

农历七月廿七

廿九

西廟堂碑

MONDAY, AUG 29, 2016

清　任颐　三友图轴

图绘任颐与他的朋友曾风沂、朱锦堂三人抱膝笼袖围坐在一起的情景。他们身旁案几上摆放着众多书册、画卷，以暗喻他们文人的身份和知书习画的修养。作者在中国传统肖像画的基础上借鉴了西方的解剖法，使得人物表情更加真实自然。

公历二〇一六年 · 农历丙申年

星期二

八月

廿日

嵩高靈廟碑

七日白露 十五中秋节

农历七月廿八

TUESDAY, AUG 30, 2016

清 吴谷祥 怡园图册之点灯联吟页

　　此图是文人雅士吟诗作赋的生活小景，画题"高斋棣萼夜联吟"。图绘敞轩的室内，除了桌椅，没有过多的家具陈设，桌案上摆放着厚重的书，表明主人以读书为乐的精神追求。桌案上摆放着的纱灯，表明天色已晚，但是几位文人还在或坐或立地认真斟酌诗文。

星期三

八月

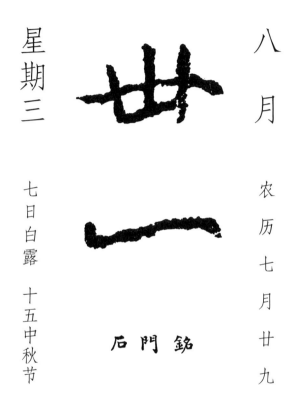

七日白露 十五中秋节

农历七月廿九

石門銘

WEDNESDAY, AUG 31, 2016

明　宣德皇帝　寿星图轴

朱瞻基，明朝第五位皇帝，年号宣德，庙号宣宗。他修养深厚，雅尚翰墨，在书画方面有着较高的造诣。此图绘造型夸张变形、额头凸起、须发皆白的老寿星。人物面部运笔工细，衣纹用笔粗放有力，显现出宣宗皇帝娴熟地运用不同笔法刻画物象的深厚功力。

星期四

九月

一日

萧憺碑

农历八月初一

七日白露 十五中秋节

THURSDAY, SEPT 1, 2016

明 戴进
归田祝寿图卷

此图是作者为明初书法家、辞官退隐的端木智画的六十岁祝寿图。图绘端木智坐在宽敞的房舍内，他身旁站立的侍者要比其坐像略矮，以此来突显他在画中的重要地位。屋外绘有代表长寿的仙鹤、高山、苍松等，以此祝福端木智寿比南山、长生不老。

星期五

九月

二日

今日三候禾乃登

农历八月初二

暉福寺碑

FRIDAY, SEPT 2, 2016

明　吕文英、吕纪　竹园寿集图卷（局部）

　　此图画的是弘治己未年（1499年），庆贺吏部尚书屠滽、户部尚书周经和御史侣钟六十寿辰的场面。受贺者及到场祝贺者有屠滽、周经、王继、闵珪、侣钟、秦民悦、许进、李孟旸、顾佐等，共十四人。这是一次以贺寿的形式举办的大型文人雅集活动，参与者或写诗，或作画，以纪其事。

星期六

九月

三日

农历八月初三

今日中国人民抗日战争胜利纪念日

敬史君碑

SATURDAY, SEPT 3, 2016

明 吕纪 南极老人像图轴

　　南极老人是南极星的化身，是汉族民间信仰中的主寿神仙，代表着健康延年。此图是宫廷画家吕纪存世的唯一人物画，绘南极老人拱手朝天，似在祈寿。其身旁的鹿与"禄"谐音，与南极老人共同表达着企盼幸福安康的良好愿望。

公历二〇一六年·农历丙申年

九月

四日

星期日

农历八月初四

七日白露 十五中秋节

趙郡王修寺碑

SUNDAY, SEPT 4, 2016

明　唐寅　贞寿堂图卷

　　此图是唐寅应嘉祥教谕周希正及弟希善之邀，为祝周母八旬大寿创作的祝寿画，图名以周母所居堂额"贞寿"为名。全卷构图疏密有致，人物虽然小如豆许，但是体态生动，准确地表现出周氏兄弟分别在室内给老妇人拜寿和赶路祝寿的情景，显示出唐寅深厚的造型功底。

公历二〇一六年·农历丙申年

九月

五日

星期一

农历八月初五

七日白露

十五中秋节

龍藏寺碑

MONDAY, SEPT 5, 2016

明 张路 麻姑献寿图轴

　　此图取自麻姑向王母娘娘进酒祝寿的故事。晋葛洪《神仙传》记载，麻姑是神话中的仙女，每年德高望重的女仙西王母过生日时，麻姑都要用灵芝草酿成仙酒，献给西王母做寿礼，麻姑也由此被西王母封为"女寿仙"。因此民间为妇女祝寿时，常常以《麻姑献寿》的图画相赠，以祝福长寿。图中麻姑以写意的手法表现，毫无仙气，显现出作者在仙女类题材创作上具有平民化审美取向。

星期二

九月

六

农历八月初六

日

明日白露　十五中秋节

孟法师碑

TUESDAY, SEPT 6, 2016

清　佚名
康熙皇帝万寿盛典图卷（上卷　局部）

　　清代皇帝的生日称作"万寿节"，与元旦、冬至并列为宫廷内的三大节日。每逢万寿节，都将举行隆重的庆典活动。凡是遇到整旬寿辰，尤其是"花甲"（六十岁）、"古稀"（七十岁）、"耄耋"（八十岁），更是举国相庆。康熙五十二年（1713年）三月十八日是康熙皇帝六旬生日，宫廷、民间都举行了盛大的庆典活动，这是清朝皇帝第一次万寿庆典，为此，康熙皇帝谕令宫廷画家专门绘制《万寿盛典图》（上、下卷），以示纪念。其上卷绘从神武门、景山开始，经北海、西四、宝禅寺、崇元观直至西直门的沿途祝寿场景。

公 历 二 〇 一 六 年 · 农 历 丙 申 年

星期三

九月七日

今日白露 一候鸿雁来

农历八月初七

白露

玄秘塔碑

WEDNESDAY, SEPT 7, 2016

清　佚名
康熙皇帝万寿盛典图卷 (下卷　局部)

此图绘从畅春园至西直门及直隶九府、江南十三府、浙江、江苏、广东、四川等各省、府出资筹办的贺寿场景。沿途张灯结彩，搭建彩棚、戏台，祥和吉庆的气氛充盈了整个画面。卷中人物众多，店铺鳞次栉比，杂而不乱，既烘托了喜庆热闹的盛大庆典，又表现出京师繁荣之景，为我们研究当时社会生活提供了形象资料。

星期四

今日国际扫盲日

八

日

道因法师碑

九月

农历八月初八

THURSDAY, SEPT 8, 2016

清　乾隆皇帝　南极老人图轴

　　本幅御题："慈寿七旬，敬为南极老人像。"此图是乾隆二十六年（1761 年）乾隆皇帝为母亲崇庆皇太后七十岁生日所绘。乾隆皇帝能于政务之暇，亲自为母亲画寿星图，其虔诚的孝子之心，昭然可见。

公历二〇一六年·农历丙申年

星期五

九月

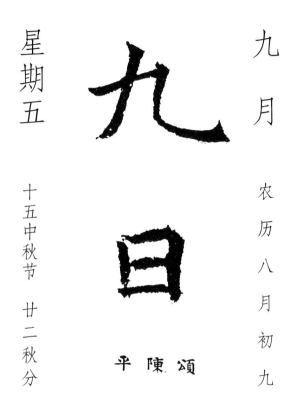

九日

平陳頌

十五中秋节　廿二秋分

农历八月初九

FRIDAY, SEPT 9, 2016

清　乾隆皇帝　多禄图轴

　　本幅御题："于避暑山庄见呦鹿卓立而戏，辄写其畅适之意。且鹿为不老之寿，装以成轴敬献慈宁，用介眉寿也。"因鹿的谐音是"禄"，因此图名为《多禄图》。此幅是乾隆皇帝借有"不老之寿"寓意的鹿，为祝其母寿辰所作的写生图。画作采用了平远法构图，绘五只体态悠闲的鹿儿在幽静的山林间嬉戏的景象。山石树木的运笔轻快疏秀，墨气华润蕴藉；鹿的造型简约概括，显现出其以线塑形的写实功底。

星期六

今日教师节 廿二秋分

十
日

九月

农历八月初十

岳麓寺碑

Saturday, Sept 10, 2016

清　佚名

庐欢荟景图册之九老作朋页

乾隆皇帝在母亲崇庆皇太后七十、八十寿辰时，从当朝的在职文、武大臣和致仕（退休）大臣中各选七十岁以上的九位老人（取其长长久久之意），合计二十七人，分别在京城的香山举办了『香山三班九老会』和『三班九老宴』两次规模盛大的生日庆典活动，来隆重地为母亲祝寿。

星期日

九月

十五中秋节 廿二秋分

农历八月十一

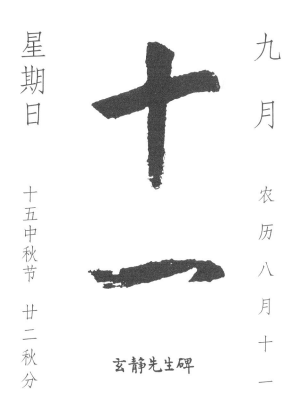

玄静先生碑

SUNDAY, SEPT 11, 2016

清 佚名

胪欢荟景图册之寿宇同游页

此图取『宇既安，嬉游风同』之意。描绘了乾隆皇帝在为母亲崇庆皇太后庆寿期间，优赏在京的高寿老人，让他们与太后同游同庆的场面。画家采用俯视的角度，将皇城附近的景物尽收眼底。画风工细平整，设色华丽而不浮艳，场面盛大而庄重。

星期一

九月

今日二候玄鸟归

农历八月十二

十二

根法师碑

MONDAY, SEPT 12, 2016

清 佚名

胪欢荟景图册之慈宁燕禧页

乾隆皇帝每逢母亲皇太后寿辰，都要亲自祝寿，并筹办隆重的庆寿仪式。图为乾隆皇帝在太后居住的慈宁宫中，亲自为其母举觞祝寿的场景。画面人物形象虽小，眉目神情却被刻画得细致入微，宝座上崇庆皇太后的庄重沉稳和乾隆皇帝的恭敬谨慎，都描绘得恰如其分。

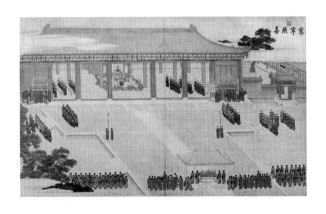

星期二

九月

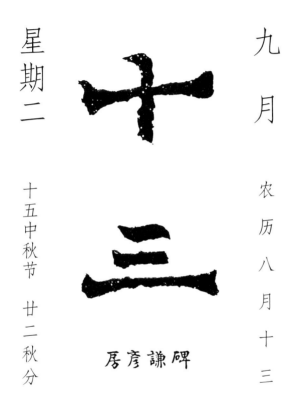

十三

房彦谦碑

十五中秋节　廿二秋分

农历八月十三

TUESDAY, SEPT 13, 2016

清　佚名　三星图乾隆皇帝书赞合轴

　　"三星"是指天界福、禄、寿星，它们是民间最受欢迎的三位神仙。乾隆皇帝作为帝王，也希望福、禄、寿三星能够保佑自己及王朝的平顺安康。此图是乾隆皇帝谕令御用画家所绘，绘成后他在画作的上方诗塘处书《福禄寿三星图赞》，以表达对三星的虔诚之心。

星期三

九月

十四

农历八月十四

明日中秋节　廿二秋分

玄林禅师碑

WEDNESDAY, SEPT 14, 2016

清　钱维城　麻姑进酒图扇面

此图扇是乾隆朝词臣画家钱维城所作。其构图新颖，书题与图像并重，各占扇面一半。图中麻姑手捧酒具与侍女相对而视，富有情趣。其清新活泼的形象与淡雅的设色、飘逸的线条相得益彰。

公历二〇一六年 · 农历丙申年

星期四

九月十五

中秋

农历八月十五

今日中秋节　国际民主日

多寶塔碑

THURSDAY, SEPT 15, 2016

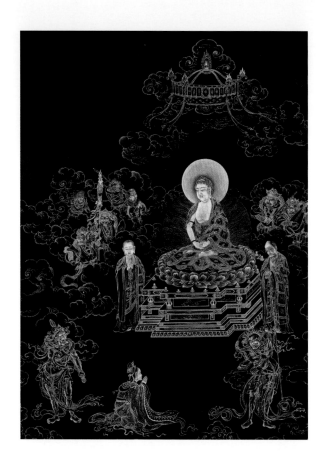

清 丁观鹏 无量寿佛图轴

图绘佛祖显灵世间的情景。画面中除神态端庄的佛祖外，还有四大金刚、迦叶、阿难等宗教人物以及合掌跪拜、虔诚祈福的女信徒。作者以深厚的功力，生动地刻画了"人与神相连通灵"的境界，表现出一种肃穆祥和的氛围。

星期五

九月

十

六

今日国际保护臭氧层日

农历八月十六

信行禅师碑

FRIDAY, SEPT 16, 2016

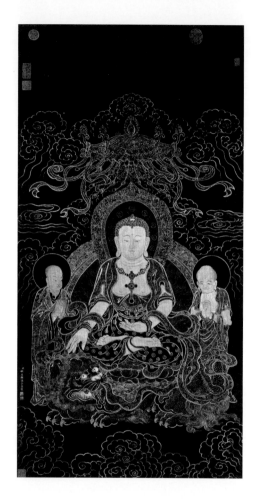

清 姚文瀚 无量寿佛像图轴

　　图绘气宇轩昂的佛祖和他身边谦卑的弟子迦叶、阿难。此图在创作手法上，采用"勾勒填金"的方式，以泥金为墨，绘在瓷青纸上，画面色泽沉稳而富丽。衣纹用笔精细，线条细劲圆转，佛祖于肃穆中又平添几分亲切。

星期六

今日三候群鸟养羞

十七

㸎龍顔碑

九月

农历八月十七

SATURDAY, SEPT 17, 2016

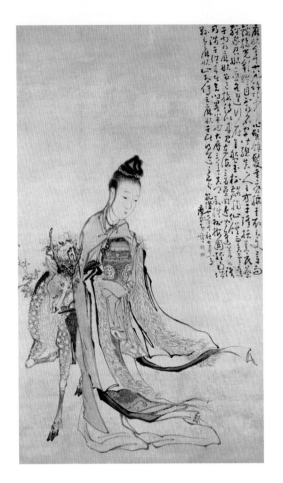

清　黄慎　麻姑仙像图轴

　　图绘麻姑手捧酒罐，与其坐骑仙鹿款款而来。人物衣纹
线条以草书笔法勾描，迅疾流畅的笔致，表现出衣带飘举的
动感，为麻姑快步急走的形象增添了活力。全图无背景衬托，
由人物与字迹率意的款识组成简单而有意境的构图，是黄慎
六十岁时画风成熟期的代表作。

星期日

今日九一八事变纪念日

十八

張猛龍碑

九月

农历八月十八

SUNDAY, SEPT 18, 2016

清　黄慎　麻姑献寿图轴

　　此图是黄慎四十三岁时所作。麻姑与侍女体貌纯朴，带有浓厚的市俗气息。人物面部为中锋行笔，线条圆润流畅。衣纹用行草笔法表现，线条富于方折顿挫变化，显现出作者以书入画探索阶段的艺术风貌。

九 月

星期一

十九

农 历 八 月 十 九

廿二秋分 一日国庆节

李仲璇修孔廟碑

MONDAY, SEPT 19, 2016

清　钱慧安　麻姑图轴

　　图绘麻姑骑在梅花鹿上若有所思的样子，其身后背着两个大寿桃，突出了祝寿的主题。麻姑的面部以色晕染，其衣纹以转折方硬的线条勾描，不同的表现手法显现出作者巧于构思的匠心。

星期二

九月

高贞碑

今日全国爱牙日

农历八月二十

TUESDAY, SEPT 20, 2016

清　沈振麟　群仙祝寿图册之仙童送桃页

　　此图册是沈振麟给清皇室画的祝寿图。图绘面部慈祥的
老寿星或腾云驾雾，或泛舟行水，或抚琴自娱等快乐的活动，
鲜明地表达了祝寿祈福的主题。本图页绘童子送寿桃的场景。

　　沈振麟（生卒年不详），字凤池，一作凤墀，元和（今江
苏省吴县）人。工绘人物、花草及马、犬等，历经道光、咸丰、
同治、光绪四朝，是晚清如意馆内官职最高、供职朝代最多、
供职时间最长、创作作品最丰富的宫廷绘画代表人物。

公历二〇一六年 · 农历丙申年

星期三

今日国际和平日

九月

农历八月廿一

端州石室记

WEDNESDAY, SEPT 21, 2016

清　沈振麟　仙芝祝寿图轴

　　本图以玲珑秀挺的湖石为中心，石的下方是盛开的水仙和代表长寿的灵芝，石的后面是充满活力的天竹。作者通过"竹"与"祝"的谐音来表达"祝福长寿"的寓意。全图运用工笔与写意相呼应的艺术手法，令工笔设色的花卉在墨笔写意的湖石映衬下，分外妖娆。

星期四

九月廿二

秋分

农历八月廿二

今日秋分　一候雷始收声

皇甫明公碑

THURSDAY, SEPT 22, 2016

清 沈全 群仙祝寿图册之捉蝠页

　　此图是沈全给清皇室画的祝寿图册中的一页。图绘体态灵活、体魄健朗的老寿星在青山碧水间抓蝙蝠求"福"的快乐场景，明确地表达了求福求寿的主题。

星期五

九月

一日国庆节　八日寒露

农历八月廿三

廿三

高盛碑

FRIDAY, SEPT 23, 2016

清　张恺　群仙祝寿图册之弈棋页

　　宫廷画家张恺给清皇室画的祝寿图册，表现内容丰富，绘有神采奕奕的老寿星们或下棋，或捧桃，或观海的场景，刻画了他们幽默诙谐的快乐神态，明确地表达了福寿双全的主题。全图册勾勒技法娴熟，设色艳丽多彩，是张恺的精心之作。

星期六

九月

一日国庆节　八日寒露

农历八月廿四

爨寶子碑

SATURDAY, SEPT 24, 2016

清　梁德润　群仙祝寿图册之吹笛页

　　宫廷画家梁德润给清皇室画的祝寿图册，表现的是老寿
星或吹笛赏乐，或展图观画，或品茶自省的情景，具有浓郁
的生活气息，表达了寿星们在极乐世界里逍遥自在的主题。

星期日

九月

一日国庆节　八日寒露

同州聖教序

农历八月廿五

S U N D A Y , S E P T 2 5 , 2 0 1 6

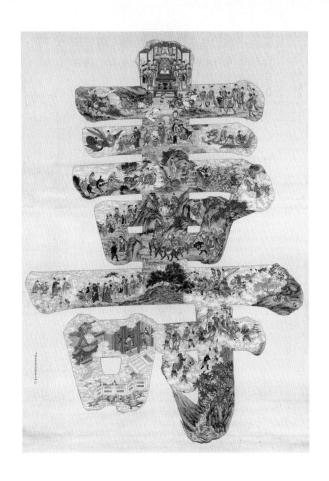

清　张恺等　人物寿字图轴

　　此图是光绪朝宫廷画家张恺等人合绘的庆贺慈禧太后五旬寿辰的画作。画幅正中绘一双钩的楷书体"寿"字，祝寿的主题突出。双钩的线框内填绘有代表慈禧太后的金母，以及白猿献寿、八仙庆寿、天女散花祝寿、四海龙王贺寿等内容。全幅具有景致繁复、笔致工细、设色华丽的宫廷绘画特色。

公历二〇一六年·农历丙申年

九月

廿六

星期一

农历八月廿六

一日国庆节

八日寒露

樊興碑

MONDAY, SEPT 26, 2016

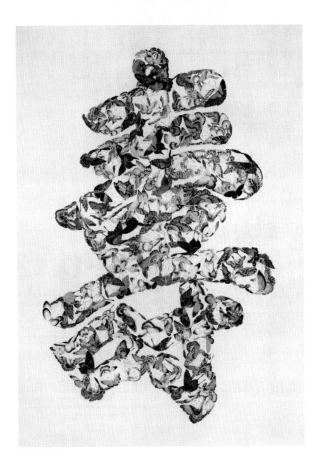

清　佚名　百蝶寿字图轴

　　此图以楷体双钩"寿"字，空白处填绘百只蝴蝶。蝴蝶的"蝶"与耄耋的"耋"字同音，古人以蝴蝶为饰，意指高寿。在双钩的"寿"字中填绘蝴蝶、人物、山水等带有祈福延年的寿意题材画，是晚清宫廷绘画的一大特色。此图轴无作者名款、年款，从其精细工整的画风和表现题材的样式推断，当是出自晚清宫廷画家之手，为祝皇室寿辰之作。

星期二

九月

农历八月廿七

今日二候蛰虫坏户

廿

七

田公德政碑

TUESDAY, SEPT 27, 2016

清 任熊 麻姑献寿图轴

　　图中身着红披风的麻姑，古朴静穆，仪态端庄，一变清
中叶以来费丹旭、改琦等人所绘身姿纤媚、弱不禁风的"病态"
仕女形象，而以健康清新之美令人瞩目。全图设色艳丽华贵，
富有装饰性；线条顿挫刚劲，富有表现力。这与充满朝气的
人物相得益彰，是作者早期仕女画佳作。

星期三

今日孔子诞辰纪念日

九月

农历八月廿八

孟顥達碑

WEDNESDAY, SEPT 28, 2016

清 任颐 麻姑寿星图轴

　　图绘麻姑手持酒器，身旁是持杖的寿星，寿意主题鲜明。此图绘在泥金纸上，作者以方折顿挫的线条勾描，并且以浓淡墨晕染，墨的冷色调恰与暖色调的泥金底色形成明显对比，使得画面除具有净洁古雅的装饰美外，更具炫目堂皇之美。

星期四

九月

一日国庆节 八日寒露

农历八月廿九

廿
九

西廟堂碑

THURSDAY, SEPT 29, 2016

清　屈兆麟　寿山福海图轴

　　这是一幅通过山石、海浪以及"蝠"与"福"的谐音，表现"福如东海，寿比南山"的寿意题材画。全图以纵向取势，虽无开阔的视野，但是具有磅礴的气势和强大的视觉震撼力。作者在创作手法上巧妙地通过蝙蝠盘飞、浪花激荡时的动与磐石稳如泰山的静形成有趣的对比，画作在动与静相互映衬之间充满康乐安宁的诗意。

星期五

九月

嵩高靈廟碑

一日国庆节　八日寒露

农历八月三十

FRIDAY, SEPT 30, 2016

骑射竞技

十月

五代　周文矩　重屏会棋图卷

　　此图真实地反映了观棋者与弈棋者不同的神态。目前，经过几代学者的研究，得知此图描绘的是五代南唐中主李璟的官廷行乐生活，表现的是李璟在乱政频发的时局下，平易待弟的德行。图中头戴高帽者为李璟，其余为其弟弟景遂、景达、景逷。此图因在屏风上画屏风，故名『重屏』。

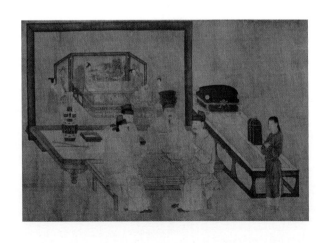

星期六

今日国庆节　国际老年人日

萧憺碑

十月

农历九月初一

SATURDAY, OCT 1, 2016

宋 佚名 蕉荫击球图页

图绘南宋官宦人家的庭院里，少妇正与身旁的女子专注地观看二童子玩击球游戏。一童手持木拍正欲坐地击球，另一童子则对他进行指导。其所表现的游戏内容当与今日棒球类运动有关，是研究宋代的娱乐和体育活动的珍贵资料。

星期日

十月

今日
国际非暴力日

三候水始涸

二日

暉福寺碑

农历九月初二

SUNDAY, OCT 2, 2016

元　陈及之

便桥会盟图卷（局部）

此图卷表现的是唐高祖李渊次子、秦王李世民于武德九年（626年）在长安近郊的便桥与突厥颉利可汗结盟的故事。图中绘有『女子站马执盏』、『马上调鹰』、『马上仰身』、『二人蹬里藏身』、『献鞍』（一人在马鞍上作倒立动作）、『二女站马弄丸』等带体育性质的马术表演。

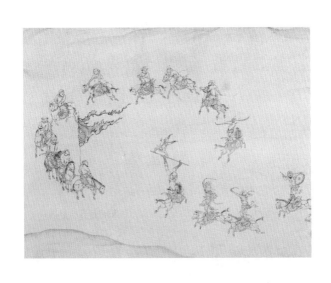

公 历 二 〇 一 六 年 · 农 历 丙 申 年

星期一

今日世界人居日

三日

敬史君碑

十月

农历九月初三

明 佚名 蕉荫弈棋图轴

图绘二高士在对弈的悠闲活动。对弈是一项锻炼人脑力的游戏，可增强一个人的判断力、考虑全局的能力、对注意力的控制能力等，因此，它深受各个阶层人士的喜爱。

星期二

今日世界动物日

赵郡王修寺碑

十月

农历九月初四

TUESDAY, OCT 4, 2016

明 佚名 龙舟竞渡图页

此图是清宫旧藏《名笔集胜册》中的一页。龙舟渡又名『赛龙舟』，水性好的划手们在各自龙形的舟上，比拼力量、速度和智谋。此项运动为端午节活动之一，距今已有数千年的历史。各族各地都有各自的赛法，目的不外是追念祖先、效法龙的勇猛顽强、力争上游等。在江南地区还有纪念投江的爱国诗人屈原之意。

公历二〇一六年 · 农历丙申年

星期三

十月

五

日

农历九月初五

龍藏寺碑

八日寒露 九日重阳节

WEDNESDAY, OCT 5, 2016

明 佚名

宣德皇帝行乐图卷（局部）

捶丸又叫「击丸」，是我国古代球戏之一，由马球演变过来的一项体育活动。图绘明宣宗亲自执棍击球的场景。图中所绘的场地、旗、穴及击丸的棒、侍从的位置等，都与《丸经》上所说吻合，为研究捶丸的历史提供了难得的形象资料。

公历二〇一六年 · 农历丙申年

星期四

十月

六日

农历九月初六

八日寒露　九日重阳节

孟法师碑

THURSDAY, OCT 6, 2016

明　佚名
宣德皇帝行乐图卷（局部）

蹴鞠，起源于春秋战国时期，兴盛于宋、元、明诸代，是我国古代民间广泛流行的一种技能和体育运动。图绘明宣宗坐在精美大气的红雕漆屏风前，正在兴致勃勃地观看蹴鞠中的垫球表演。

星
期
五

十
月

农
历
九
月
初
七

明
日
寒
露

九
日
重
阳
节

鄭文公碑

FRIDAY, OCT 7, 2016

明 佚名
宣德皇帝行乐图卷（局部）

投壶是一项有着悠久历史的古老体育竞技项目。它是以箭作为道具，将箭投入到仅有茶杯口大小的壶中为胜。图绘明宣宗手持红色羽箭意欲投壶的瞬间。壶中已有数支投中的红羽箭，显然，作者有意在赞誉明宣宗高超的投掷技巧。

星期六

今日寒露 一候鸿雁来宾

寒露

欧陽詢書千字文

十月八日

农历九月初八

SATURDAY, OCT 8, 2016

明 佚名
宣德皇帝行乐图卷（局部）

击鞠是骑在马上用马球杆击球入门的一项体育运动。图绘明宣宗静观侍从们表演的场景。图中的宣宗比骑马者和站立的侍从均高大，这种为突出帝王形象，不按照事实比例绘制的方式，是明代宫廷绘画的一大特色。

星期日

今日重阳节 世界邮政日

重漸

柳公權書蘭亭詩

十月九日

农历九月初九

SUNDAY, OCT 9, 2016

清 佚名 行乐图卷（局部）

骑马射箭，是满族的传统生活方式。为了保持八旗将士的战斗力，清康熙、乾隆等皇帝不仅重视行围习武，对八旗子弟的骑射教育更是常抓不懈。此画表现的便是康熙年间王公贵戚练习射箭的场面。

星期一

十月

岳麓寺碑

农历九月初十

今日故宫博物院建院纪念日

MONDAY, OCT 10, 2016

清　佚名　塞宴四事图横轴（局部）

　　此图绘乾隆皇帝在木兰围场行围结束后，举行盛大的庆功宴，其间热烈而刺激的体育表演。此段绘"相扑"，两名力士裸露上身，互相角力，被压翻在地者为败。

星期二

廿三霜降　七日立冬

十 月

农 历 九 月 十 一

玄静先生碑

TUESDAY, OCT 11, 2016

清 佚名 塞宴四事图横轴（局部）

此图绘"相扑"中两名力士在相互寻找下手的机会。相扑运动员不仅要有力气，而且还要有熟练的技巧，以及避实就虚的计谋。

公历二〇一六年 · 农历丙申年

星期三

十月

廿三霜降　七日立冬

农历九月十二

根法师碑

WEDNESDAY, OCT 12, 2016

清　佚名　乾隆皇帝一发双鹿图轴

　　图绘老年乾隆皇帝边骑边射，一箭发出，即击中两只鹿的场景。此图不仅展示出乾隆皇帝娴熟的马上骑射技术，而且也标示出宫廷御用弓具的优良品质。

星期四

今日二候雀入大水为蛤

十月

居彦谦碑

农历九月十三

THURSDAY, OCT 13, 2016

清　郎世宁等
乾隆皇帝观马技图轴（局部）

　　宋代《东京梦华录》对马技这项历史悠久的体育运动，有着较为详尽的记载。此图绘乾隆皇帝在避暑山庄，与前来觐见的蒙古族首领共同观赏马技表演的情景。表演的官兵在旗手的导引下，于马背上表演倒立、托举、站立吹笛等特技，以显示他们的勇敢与智谋。

公历二〇一六年·农历丙申年

十月

十四

星期五

农历九月十四

廿三霜降

七日立冬

玄林禪師碑

FRIDAY, OCT 14, 2016

清　郎世宁等
乾隆皇帝观马技图轴（局部）

　　图绘奔马上的倒立表演，作者将这一特技的动感瞬间，刻画得极为生动。虽然表演者动作惊险，但是符合力学原理，化险为夷，由此可见作者细致的观察力与准确无误的表现力。

星期六

十月

十五

善才寺碑

廿三霜降　七日立冬

农历九月十五

清　佚名　乾隆皇帝逐鹿图轴

　　乾隆皇帝作为满族人后裔，严格遵守被奉为"满洲根本"、"先正遗风"的骑射尚武典制。他经常通过带有游乐性质的狩猎活动，将满族人弯弓射箭的传统发扬光大。图绘乾隆皇帝扬鞭催马逐鹿的瞬间。

星期日

今日世界粮食日

十月

农历九月十六

十六

信行禅师碑

SUNDAY, OCT 16, 2016

清　佚名　乾隆皇帝威弧获鹿图卷

　　图卷中的乾隆皇帝身跨白马，拉弓放矢，远处的奔鹿应声而倒。皇帝身旁的皇妃骑马紧紧追随侍奉，在关键时刻将一只只羽箭奉上。此图是唯一一幅乾隆皇帝与皇妃共同骑马猎鹿的画作。图中的皇妃身着异域服饰，她很可能是来自西域的容妃，也即传说中的香妃。

星期一

十月

农历九月十七

爨龍顔碑

今日国际消除贫困日

MONDAY, OCT 17, 2016

清　佚名　乾隆皇帝矢箭图屏

　　乾隆皇帝从十一岁开始便随祖父康熙皇帝前往热河、南苑打猎。即帝位后，他承袭祖制，把骑射尚武奉为"满洲根本"。从乾隆六年至三十五年（1741～1770年），他几乎每年都要至木兰围场或南苑狩猎。其目的不光是练习自身的马、箭术，还有肆武习劳和绥怀蒙古的政治目的。图绘乾隆皇帝做射靶表演。

星期二

十月

今日三候菊有黄华

十

八

张猛龙碑

农历九月十八

TUESDAY, OCT 18, 2016

清　姚文瀚　紫光阁赐宴图卷（局部）

　　紫光阁始建于明代，清朝时是皇帝阅射和殿试武举之所。乾隆二十六年（1761年），乾隆皇帝在此主持筵宴，以犒劳傅恒、兆惠、班弟、富德等平定准部、回部的各路将士。图绘筵宴时，组织官兵进行冰嬉表演，以活跃气氛。

星期三

十月

十
九

农 历 九 月 十 九

廿三霜降

七日立冬

李仲璇修孔庙碑

WEDNESDAY, OCT 19, 2016

清　金昆、程志道、福隆安
冰嬉图卷 (局部)

　　冰嬉是满族在关外时就有的一种大众性体育活动，清初被称为"国俗"，并作为重要典制记载于钦定《大清会典》中。乾隆皇帝对这项既保留了集体表演的大型规模，又侧重于个人技巧表演的冰上运动高度重视，曾云"冰嬉为国制所重"。

星期四

今日世界统计日

十月

农历九月二十

高 贞 碑

THURSDAY, OCT 20, 2016

清　金昆、程志道、福隆安
冰嬉图卷 (局部)

　　众八旗兵士按八旗的旗色肩插小旗、身着战服、腰悬弓矢、脚登冰鞋，在统领的带领下，盘旋曲折行于冰上，远望之，蜿蜒如龙状。在接近御座处设一旌门，上悬一球，名天球，转龙之队滑至此时，要以回头望月之姿，箭射天球，射中者有赏。

星期五

十月

廿三霜降

七日立冬

农历九月廿一

端州石室记

清　张为邦、姚文瀚
冰嬉图卷（局部）

　　参加冰嬉表演的选手，是从驻京的八旗将士和内务府
上三旗官兵中选出的"善走冰"者，共约一千二百人。他们
要在冬至到"三九"寒冬时节，在西苑太液池（即今北京南
海、中海和北海，统称"三海"）的中海冰面上进行转龙射球、
速度滑冰、花样滑冰和滑射等竞技活动。

星期六

十月

廿二

兖 公 頌

明日霜降　七日立冬

农历九月廿二

SATURDAY, OCT 22, 2016

清　张为邦、姚文瀚
冰嬉图卷（局部）

　　图为冰嬉中的滑行射箭比赛，它是冰嬉中最精彩的节目之一，同时也是最重要的冰上比赛项目。这不仅要求选手能高速滑行，而且还必须按鼓点在规定的时间和距离内射靶，以中分多者取胜。

星期日

今日霜降 一候豺乃祭兽

霜降

皇甫明公碑

十月廿三

农历九月廿三

SUNDAY, OCT 23, 2016

清　佚名　放风筝图轴

放风筝有着悠久的历史，由最初的用于测量、传递信息，变成娱乐游戏。因为风筝在起飞前需要放飞者拿着风筝的提线，迅速地逆风猛跑，以借助风力将它提升，所以放风筝又是一项依靠体力和爆发力的体育运动。图绘早春时节，童子在放"喜"字形风筝，希望能一路顺风，喜从天降。

星期一

十月

廿四

㸑寶子碑

农历九月廿四

七日立冬　廿二小雪

清　喻兰
仕女清娱图册之投壶页

投壶原本是古代士大夫宴饮时做的一种投掷游戏，在战国时得到发展。由于这种游戏行为优雅、讲究礼节，同时，它不苛求于场地，器材也易于获取，因此，亦逐渐在贵族妇女中流行起来。

星期二

十月

廿五

同州聖教序

农历九月廿五

七日立冬　廿二小雪

TUESDAY, OCT 25, 2016

清 佚名 玫贵妃春贵人等行乐图轴

　　画面三位主人公是清文宗咸丰皇帝的宫眷玫贵妃、春贵人、鑫常在在花园中钓鱼消夏的行乐活动。图中人物个性鲜明，具有肖像画特征，每个人身旁贴有以示其名号的黄纸签，其具象的写实为研究晚清嫔妃的服饰以及宫廷娱乐生活提供了重要的图像资料。

星期三

十月

廿

六

樊 興 碑

七日立冬　廿二小雪

农历九月廿六

WEDNESDAY, OCT 26, 2016

清 佚名 慈禧皇太后弈棋图轴

　　慈禧皇太后是个兴趣广泛的人，书画、棋艺等各方面均有所涉猎。本图绘她在苍松挺秀、兰卉绽放的皇家园林内，执子下围棋的场景。围棋至今已有四千多年的历史。慈禧皇太后喜弄权术，亦好附庸风雅，对士大夫中流行的围棋独有偏爱。该图真实地再现了她于闲暇时以下棋为乐的一个侧面。

星期四

今日世界音像遗产日

十月

农历九月廿七

廿

七

田公德政碑

THURSDAY, OCT 27, 2016

清 任熊
姚大梅诗意图册之行棋页

图绘屏风前两个女子在长条桌案上摆棋对弈的场景。一个举棋不定，一个淡定沉思。桌子的顶头坐有观棋局的裁判，据图上墨题『戏赌缠头开铟局』而知，她们是通过下棋的方式在赌博，反映了当时女子在进行脑力锻炼的同时，还增加了娱乐、刺激的因素。

星期五

十月

今日二候草木黄落

农历九月廿八

孟顯達碑

FRIDAY, OCT 28, 2016

清　任熊
姚大梅诗意图册之投壶页

此图绘『拥貂上相投壶乐』
诗意。明清时期，投壶的形式更
为多样化，娱乐形式更为丰富。
在士大夫及文士儒生的社会交
往中，投壶更是常见的娱乐活
动之一。

公历二〇一六年·农历丙申年

星期六

十月

廿九

西廟堂碑

农历九月廿九

七日立冬　廿二小雪

SATURDAY, OCT 29, 2016

清　任熊
姚大梅诗意图册之荡秋千页

　　此图绘『内家汉戏秘秋千』
诗意。描绘寒食节前后，女子荡
秋千的游戏场景，画面洋溢着欢
乐的气息。

星期日

十月

廿日

农历九月三十

七日立冬 廿二小雪

嵩高靈廟碑

SUNDAY, OCT 30, 2016

清 吴谷祥

怡园图册之投壶页

图绘作者与友人在假山石前投壶消夏的场景。为了突出本身低矮的壶体，作者一方面在其身后衬以引人注目的粗大树木，另一方面绘一人正在投壶的片刻，巧妙地利用他执箭所指的行为，指出壶体所在的位置，点明了投壶的主题。

公历二〇一六年 · 农历丙申年

星期一

十月

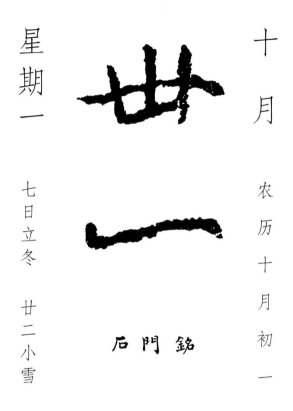

七日立冬　廿二小雪

农历十月初一

石門銘

MONDAY, OCT 31, 2016

宫廷萌宠

十月

清 佚名
雍正皇帝十二月行乐图之二月图轴（局部）

　　宫廷画家在创作雍正皇帝行乐图时，特意绘制了一个富有情趣的小园林景观作为点缀。其主角是性情温顺、样子可爱的白兔，它们蹦跳在玲珑剔透的太湖石和花朵盛开的桃树边，其温馨快乐的情致，给整个画作增添了喜庆祥和的氛围。

星期二

十一月

七日立冬　廿二小雪

农历十月初二

萧憺碑

TUESDAY, NOV 1, 2016

清 佚名
雍正皇帝十二月行乐图之十一月图轴（局部）

图绘雍正皇帝在构造精美的室内虔诚地参禅。室外，两只孔雀悠闲地踱步，其中一只展开华丽的尾屏，漂亮的根根覆羽闪烁发光。孔雀主要生活在东南亚和南亚，清代尚属少见。

星期三

今日三候蛰虫咸俯

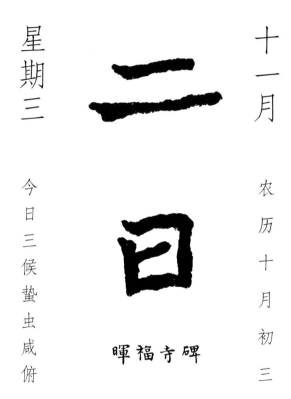

二日

晖福寺碑

十一月

农历十月初三

WEDNESDAY, NOV 2, 2016

清　佚名
雍正皇帝十二月行乐图之十二月图轴（局部）

　　图绘严寒冬季里，雍正皇帝坐在室内，观赏着窗外鹿苑里的鹿，陶冶性情。鹿不仅是一种生物，它还被视为能给人们带来健康长寿的神物，同时，又因"鹿"与"禄"谐音，因此，它也被看作吉祥物。宫廷中不仅建有养鹿的场地，还配有专门负责鹿苑的官员。

星期四

三日

十一月

农历十月初四

七日立冬　廿二小雪

敬史君碑

清 佚名 雍正皇帝行乐图轴

　　图绘雍正皇帝手持书册临窗而坐，屋外庭院内是佳木湖石和雍正皇帝的家眷们。宫廷画家在创作上注重对细小情节的表现，将宫室的宠物猫和狗均刻画在内，它们栩栩如生的形态，增强了画作的生活气息和情趣。

星期五

十一月

七日立冬　廿二小雪

农历十月初五

赵郡王修寺碑

FRIDAY, NOV 4, 2016

清　佚名　十二美人行乐图轴之一

　　雍正皇帝做皇子时，命宫廷画师绘了十二幅表现宫中女子的画作，此画是其中之一。图中女子轻倚桌案，单手闲雅地捻着念珠，正观赏两只嬉戏顽皮的宠物猫。此图的取景面很小，仅透过二分之一的圆窗来刻画繁复的景致，但由于画家参用了西洋画的焦点透视法，将远、中、近三景安排得有条不紊，从而扩展了画面空间的纵深感，显得意韵悠长。窗下钟声嘀嗒，近处猫咪玩闹，时光便在这似有似无中悄悄流逝。

星期六

七日立冬　廿二小雪

五日

龍藏寺碑

十一月

农历十月初六

Saturday, Nov 5, 2016

　　图中茁壮的梧桐树下，两只肥硕的白兔正惬意地在草地上相向而望。双兔造型准确，皮毛以细笔丝丝刻画，具有柔软的质感。兔眼用白色点出高光，令眼神活灵活现，顿生神采。此作是作者在任职宫廷画家期间所绘，受到了西洋绘画技法的影响，具有康熙朝宫廷绘画端庄大气的风貌。

星期日

十一月

明日立冬 廿二小雪

农历十月初七

六日

孟法师碑

SUNDAY, NOV 6, 2016

清 佚名
乾隆皇帝观孔雀开屏图横幅（局部）

图绘乾隆皇帝端坐在亭台之上，闲适地观赏庭院中的一对色泽鲜艳的孔雀。由乾隆皇帝的墨题而知，它们是由西域贡来，在宫中饲养成功的。因此，乾隆皇帝对它们非常重视，令宫廷画家创作此图，以视珍爱，同时将该画张贴于圆明园殿内，以便随时欣赏。

星期一

十一月七日

农历十月初八

今日立冬 一候水始冰

立冬

元次山碑

MONDAY, NOV 7, 2016

清 郎世宁等
乾隆皇帝阅骏图屏

图绘年约四十岁的乾隆皇帝，一身休闲的高士装扮，在雕梁画栋的游亭内，品茶赏马的情景。马，是乾隆皇帝重要的交通工具之一，他每每出宫巡视各地或秋狝狩猎，均要带上良驹快马以备随时骑用。于是各地尤其是游牧民族地区一旦有良种马，纷纷敬献宫廷，以邀恩宠。

公历二〇一六年 · 农历丙申年

星期二

今日记者节

八

日

道因法师碑

十一月

农历十月初九

TUESDAY, NOV 8, 2016

清　郎世宁　竹荫西狑图轴

　　一只猎犬昂首垂尾目视前方，其身后有苦瓜藤和翠竹做点景。落款为"臣郎世宁恭绘"。从狗的流线型的身段看，它应该是一条来自西方的善于奔跑的猎狗。郎世宁作为学过解剖学的画家，擅长刻画马匹、狗及人像。该图将狗的骨骼肌肉表现得逼真写实，富有质感。

星期三

十一月

九

农历十月初十

日

廿二小雪

七日大雪

平 陳 頌

WEDNESDAY, NOV 9, 2016

清 郎世宁 自在骄图轴

骑马射箭是乾隆朝宫廷生活中的重要部分。乾隆皇帝对马匹的优劣非常重视，他不仅仅将各地献上的良驹精心驯养，还令宫中的西洋画师郎世宁、艾启蒙等人将它们画下来，以作永久的纪念。图为郎世宁奉敕于乾隆癸亥年（1743年）绘制的由繇拖辉特贝勒诚温扎布敬献进宫的枣红马自在骄。

星期四

十一月

十日

岳麓寺碑

农历十月十一

廿二小雪

七日大雪

THURSDAY, NOV 10, 2016

清 郎世宁 狮子玉图轴

此图绘的是喀尔喀折布尊丹巴呼图克图敬献的白色狮子玉马。郎世宁在运用中国绘画工具对马匹加以晕染的基础上,又巧妙地吸收了西洋画中光影的技法,利用光线明暗的变化,以深浅不同的色调,真实生动地表现出马的体型、肌肉和皮毛质感。

星期五

十一月

廿二小雪

七日大雪

玄静先生碑

农历十月十二

FRIDAY, NOV 11, 2016

清 王致诚
十骏马图册之万吉骦页

来自法国天主教耶稣会的传教士王致诚（1702～1768 年）曾受乾隆皇帝的谕旨，图绘少数民族首领进献给乾隆皇帝的万吉骦、阚虎骝、狮子玉、霹雳骧、雪点雕、自在驹、奔雪驰、赤花鹰、英骥子、笊云骏十匹马。王致诚在西洋解剖学的基础上，以中国画的颜色渲染出马匹四凸起伏的骨骼，在细腻逼真的刻画中，突显出不同品种马的个性。

星期六

十一月

十二

今日二候地始冻

农历十月十三

根法师碑

SATURDAY, NOV 12, 2016

清 艾启蒙 锦云骓图轴

此马是蒙古族贵族所敬献给乾隆皇帝的名驹。由在宫中供职的传教士画家、来自波希米亚的艾启蒙绘制。作者以欧洲的素描技法，运用解剖学，成功地塑造出马匹膘壮、健美的体态，对宫廷御用马的研究具有极高的史料价值。

星期日

十一月

房彦谦碑

廿二小雪

七日大雪

农历十月十四

SUNDAY, NOV 13, 2016

清 艾启蒙、方琮 额摩鸟图页

乾隆三十九年（1774年），宫中新进一只来自西域的额摩鸟，乾隆皇帝视它为珍禽，喜爱有加，不仅专门为此鸟作诗，而且还谕令宫廷画师艾启蒙、方琮等人作画，以便随时观赏。

星期一

十一月

十四

玄林禅师碑

农历十月十五

今日世界防治糖尿病日

MONDAY, NOV 14, 2016

清 艾启蒙
十骏犬图册之茹黄豹页

艾启蒙受谕令为乾隆皇帝在宫中豢养的纯种猎犬画像。他以西方的素描技法，短细的笔触，一丝不苟地刻画出猎犬健美的体态和皮毛的质感，具有极强的写实性。每幅图上均标明犬名，对宫廷御用犬的研究具有极高的价值。图为茹黄豹画像。

星期二

十一月

廿二小雪

七日大雪

农历十月十六

十五

善十寺碑

TUESDAY, NOV 15, 2016

清 艾启蒙
十骏犬图册之苍水虬页

图中的犬由艾启蒙绘制，作为衬景的山石树木是中国画家创作的。中西画家携手创作，是乾隆朝宫廷绘画的一大特色。

十 一 月

星 期 三

农 历 十 月 十 七

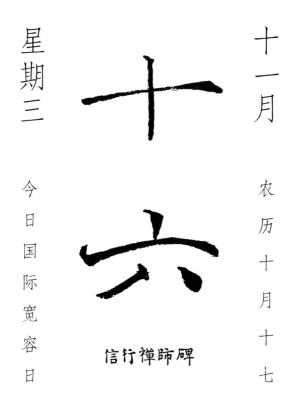

十

六

今 日 国 际 宽 容 日

信行禅师碑

WEDNESDAY, NOV 16, 2016

清　贺清泰　贲鹿图轴

　　图绘一只白色的贲鹿在山坡上停蹄凝望的情景。图中山涧处奔流直下的清泉，既扩展了画面纵向的空间，又为清幽的山野平添几多画外之音。山石、树木、杂草的勾点皴染，用笔细腻。贲鹿造型准确，具有较强的立体感，显现出作者深厚的素描功底。图中的鹿，非中原地区所产，应系进贡之物。

星期四

今日三候雉入大水为蜃

鬶龍顏碑

十一月

农历十月十八

THURSDAY, NOV 17, 2016

清　贺清泰、潘廷章　廓尔喀贡象、马图卷（局部）

廓尔喀地处中国西藏的西南，其疆土与西藏犬牙交错。廓尔喀兵曾多次侵入藏区，后被清政府降服。为了改善与清朝廷的关系，廓尔喀不断地向皇室进贡当地的各种特产。乾隆皇帝对其进贡来的马、象很感兴趣，于是在乾隆五十八年（1793年）冬月，谕令意大利传教士潘廷章、法国传教士贺清泰将廓尔喀人贡入宫中的马和象画下来，以作纪念。

星期五

廿二小雪

七日大雪

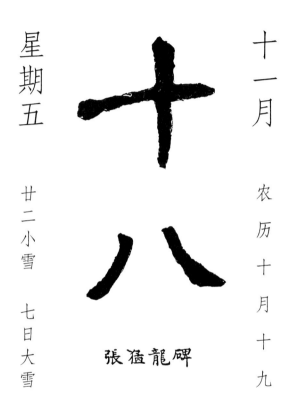

十八

張猛龍碑

十一月

农历十月十九

FRIDAY, NOV 18, 2016

清 贺清泰、潘廷章
廓尔喀贡象、马图卷（局部）

此图卷贺清泰画马，潘廷璋
画象，他们的绘画造诣远不如同
为西洋画家的郎世宁、王致诚、
艾启蒙等人。图中象的用笔细腻
写实，但是体态呆板，缺乏生动
之致。

星期六

十一月

十九

农历十月二十

廿二小雪

七日大雪

李仲璇修孔庙碑

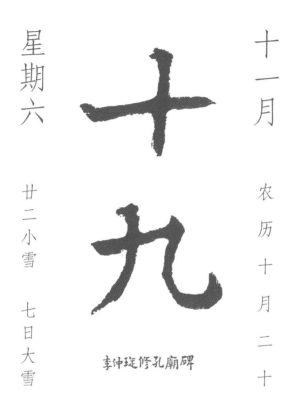

SATURDAY, NOV 19, 2016

清　佚名　道光皇帝行乐图轴

　　图绘道光皇帝与皇四子奕詝（即咸丰皇帝）、皇六子奕䜣、皇七子奕譞、皇八子奕詥、皇九子奕譓以及寿安固伦公主和寿恩固伦公主在明媚的春光下，清娱行乐的场景。图中绘一黑、一花两只京巴（又称宫廷狮子狗）。京巴体态优雅、性格温顺，是清代宫廷的宠物犬，由宦官负责喂养，制定有严格的育种标准。

公历二〇一六年 · 农历丙申年

星期日

廿

日

十一月

农历十月廿一

廿二小雪　七日大雪

高贞碑

清　佚名　道光皇帝喜溢秋庭图轴（局部）

这是一幅由宫廷画家创作的纪实画，图绘道光皇帝携后妃子女在庭园中赏花嬉戏的情景。道光皇帝与孝全成皇后身着便服端坐。他们的面前不仅有妃子、皇子、公主，还有道光皇帝的宠物狗京巴，它们相互嬉戏、活泼可爱的样子，给画作增添了情趣。

星期一

十一月

今日世界电视日

农历十月廿二

端州石室记

MONDAY, NOV 21, 2016

清　咸丰皇帝　马图轴

凤昔傳聞思

一見牽来左

右神骨煉

雄姿逸態何

崚嶒顧影驕

斯自矜寵

節録杜少陵驄馬行

丁未七月　皇四子書

皇四子畫

歲次强圉協洽皐月

　　图绘马儿侧立像、笔墨技法不甚精湛，但是马的骨骼结构基本准确，显示出一定的艺术修养。此图是奕䜣十七岁做皇子期间所绘。

　　爱新觉罗·奕䜣（1831～1861年），清宣宗第四子，道光三十年（1850年）即皇位，称文宗，改年号为咸丰。在位期间，战乱四起，外强侵扰不断，太平天国运动爆发，并且与列强签订了《瑷珲条约》、《天津条约》、《北京条约》等丧权辱国的条约。

星期二

小雪

雁塔聖教序

十月廿二

农历十月廿三

今日小雪 一候虹藏不见

TUESDAY, NOV 22, 2016

清　沈振麟　犬图成扇

　　图绘两只道光皇帝的宠物犬在花园内嬉戏的情景。它们是样子憨厚可爱的京巴，脖子上均系有金色的铃铛和红绸带，显现出它们的高贵身分。道光皇帝分别在它们身旁题"泼墨形容超品俊"和"裁花样色出群驯"，表达了对它们的喜爱之情。

星期三

十一月

廿三

高盛碑

七日大雪　廿一冬至

农历十月廿四

WEDNESDAY, NOV 23, 2016

清 沈振麟 柳溪牧马图扇面

　　图绘清风疏林间马儿自然的放养状态。它们姿态各异，或饮流啮草，或解鞍驻步，一派悠然自在的逍遥景象，反映了宫廷御用马良好的饲养方式与环境。

星期四

爨寶子碑

十一月

农历十月廿五

今日感恩节

七日大雪

THURSDAY, NOV 24, 2016

清　蒋廷锡　鹁鸽谱图册之太极图页

　　此套图谱分为上下册，合计一百开，每开分左右画页，各绘一对在田野中相依相守的公母鸽，每页上方贴有书写所绘鹁鸽名的小题签。鸽子的画法写实逼真，羽毛以精细的笔法，一丝不苟地加以勾画。本图是其中太极图页。

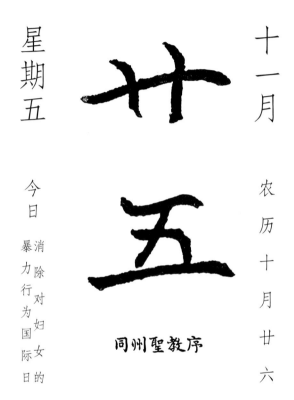

公历二〇一六年 · 农历丙申年

星期五

十一月

廿五

今日 消除对妇女的暴力行为国际日

农历十月廿六

同州聖教序

FRIDAY, NOV 25, 2016

清 蒋廷锡 鹁鸽谱图册之缠丝斑子页

　　全册构图简洁，每开突出表现鹁鸽的主体形象，仅在鸽子的脚下或者四周，绘一些造型简单，甚至形象颇为雷同的小草来点缀。虽然这些配景逸笔草草，但是它们与造型严谨的鹁鸽形成笔法上的差异，增添了画面的生趣。同时，它们或聚或散的布局、或大或小的形状，也扩展了画面的视觉空间。此图是其中缠丝斑子图页。

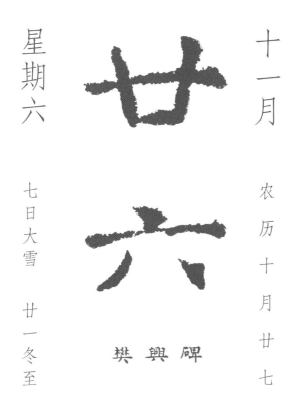

公历二〇一六年 · 农历丙申年

星期六

十一月

廿六

农历十月廿七

七日大雪　廿一冬至

瑛興碑

SATURDAY, NOV 26, 2016

清　蒋廷锡　鹁鸽谱图册之雪眼皂页

　　王世襄《明代鸽经·清宫鸽谱》中写道"雪眼皂当因白沙眼而得名,绘谱之时,可能入品合格。据本世纪初北京标准,鸡头、长嘴、白沙眼,极丑。"

星期日

十一月

农历十月廿八

今日二候天气升地气降

田公德政碑

清　沈振麟、焦和贵
鹁鸽谱图册之莲花白、雨点斑页

　　光绪朝宫廷画家沈振麟和焦和贵受谕令合作的《鹁鸽谱》，共二十开，绘四十对鹁鸽。据王世襄先生考证，图中所绘之鸽应是宫中眷养之物，其中有些已经绝种。因此，这本既有观赏性，又有标本性的《鹁鸽谱》，为鹁鸽的研究提供了难得的形象资料。

星期一

十一月

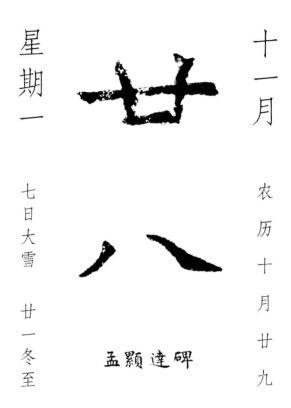

七日大雪　廿一冬至

农历十月廿九

孟顯達碑

MONDAY, NOV 28, 2016

清 佚名
鸽谱图册之踹银盘玉翅、虎头雕页

　　此图册无作者款印，共二十二开，对开式"蝴蝶样"装裱，左右画页各绘一对公母鸽，鸽名题于约纵五厘米、横二厘米的纸签上，纸签贴于图上方的裱边处，以示标注。此图曾被清内府《石渠宝笈三编》著录。

星期二

十一月

七日大雪　廿一冬至

农历十一月初一

廿九

西庙堂碑

TUESDAY, NOV 29, 2016

清　佚名
鸽谱图册之凤头硃眼、白胆大页

　　该图册所绘鸽子运用了中西结合的技法，用光影和明暗塑造形体并追求色彩的表达，一定程度上融入了西方的审美理念。此外还结合黄筌院体细致精微的传统画法，展现了工笔花鸟画情趣美与细腻美兼长的特点。

公历二〇一六年 · 农历丙申年

星期三

十一月

廿

日

农历十一月初二

七日大雪　廿一冬至

嵩高靈廟碑

WEDNESDAY, NOV 30, 2016

宴飨庆功

十二月

五代　顾闳中(传)　韩熙载夜宴图卷(局部)

　　该画卷以纪实的手法，生动地刻画出五代时期的贵族韩熙载举办家宴时，歌舞伎们与来宾欢聚一堂的场景。图中精致的食物和精美的器皿，标示出韩熙载拥有优质的生活水准。

公历二〇一六年 · 农历丙申年

星期四

十二月

今日世界艾滋病日

农历十一月初三

一日

萧憺碑

五代　胡瓌（传）　卓歇图卷（局部）

　　全卷画女真贵族邀宋朝使团首领狩猎，途中歇息时宴饮的情景。虽然是临时的野外小憩，但是也少不了歌舞者和酒肉美食，可见贵族生活之奢华。

星期五

今日三候闭塞成冬

二日

晖福寺碑

十二月

农历十一月初四

FRIDAY, DEC 2, 2016

宋　马和之（传）　豳风图卷（局部）

　　《诗经》是经孔子删定的古代诗歌总集，此图是作者依据《诗经》十五国风的"豳风"而作。图绘周的先祖后稷、公刘时，辛苦了一年的百姓于年终岁末，相聚在宗祠公堂内，饮酒食羔、观赏乐舞的热闹场景。

星期六

十二月

三

今日国际残疾人日

农历十一月初五

日

敬史君碑

SATURDAY, DEC 3, 2016

宋 马和之（传）
小雅鹿鸣之什卷之鹿鸣（局部）

此图依据《诗经·鹿鸣》诗意所绘。图绘周王『宴群臣嘉宾』的宏大场面。周王气宇轩昂地独坐殿堂正中，嘉宾们则谦和有礼地分列两侧。作者以众星捧月的构图方式，突出了周王身为霸主的尊崇地位。

星期日

十二月

七日大雪　廿一冬至

农历十一月初六

趙郡王修寺碑

SUNDAY, DEC 4, 2016

宋 佚名 春宴图卷 (局部)

此长卷原签题为"唐人春宴图",描绘唐贞观年间,唐太宗李世民为治国安邦,广纳贤才,开设文学馆,将著名学士杜如晦、房玄龄、于志宁、苏世长、姚思廉、陆德明、虞世南、蔡允恭、颜相时、许敬宗、薛元敬、盖文达等纷纷招纳至朝。图绘贤士们集会饮宴后,有酒酣者折柳吟唱的情景。

公历二〇一六年·农历丙申年

星期一

十二月

五日

今日
国际促进经济和社会发展志愿人员日

农历十一月初七

龍藏寺碑

MONDAY, DEC 5, 2016

宋　佚名　春宴图卷（局部）

　　图绘贤士们酒酣之后，虽然已跌跌撞撞，但是遇到意趣相投者，不愿离去的场景。作者以现实生活为基础所刻画的人物，不仅具有幽默感，而且极具亲和力。

星期二

明日大雪

廿一冬至

六

日

孟法師碑

十二月

农历十一月初八

宋　佚名　春宴图卷 (局部)

　　图绘贤士们围桌而坐的宴饮场景。作者在处理人物之间的关系上，巧妙地通过贤士们的举止变化或眼神互递，把画面中散落的人呼应成一个整体。同时，通过矩形的长条桌案将他们框定在同一个区域内，使得画面不因表现物象的众多而失去整体感。

星期三

十二月七日

农历十一月初九

大雪

今日大雪

一候鹖鴠不鸣

国际民航日

伊闕佛龕碑

WEDNESDAY, DEC 7, 2016

清　朱珏　德星聚图轴

德星，比喻贤士。图绘一身着古装、腰系玉带的贤士率领众弟子，造访一德高望重的老者，二人各捧茶盏相对而坐。图中还绘有煎茶的童子和备饭的门人。虽然饮食上是粗茶淡饭，但两位贤士丰富的精神世界，足以让他们惺惺相惜。

星期四

八

十二月

廿一冬至 一日元旦

日

农历十一月初十

道因法师碑

THURSDAY, DEC 8, 2016

清　佚名
雍正皇帝十二月行乐图之八月图轴（局部）

　　图绘雍正皇帝在楼阁平台处大宴宾客的场景。桌案上摆放着丰盛的佳肴，穿着石绿色衣装的雍正皇帝正与嘉宾们围桌而聚，一副洒脱的样子，体现了"有朋自远方来，不亦乐乎"的意趣。

星期五

十二月

九

日

今日国际反腐败日

农历十一月十一

平陳頌

FRIDAY, DEC 9, 2016

清　佚名
雍正皇帝十二月行乐图之五月图轴（局部）

　　图绘雍正皇帝与家眷们在一起团聚宴饮的场景，他身穿褐色汉装正举酒杯，引领众人畅饮。展现了温馨祥和的皇室居家生活。

公历二〇一六年·农历丙申年

星期六

十二月

廿一冬至 一日元旦

农历十一月十二

十
日

岳麓寺碑

SATURDAY, DEC 10, 2016

清 李寅 江楼夜宴图轴

图绘静谧苍茫的远山和建造精整的水榭。透过水榭的开窗，可见众人围桌而坐，相聚正欢。通过水榭悬挂的烛灯，可知天色已晚。闪烁的灯光为宴会增添了几分浪漫的情趣，寂静的江面则衬托出宴席的热烈与喧嚣。虽然水榭在画作中所占比例很小，但它因举办宴饮集会而成为画作中的重点。

星期日

十二月

今日国际山岳日

农历十一月十三

玄静先生碑

SUNDAY, DEC 11, 2016

清 佚名
塞宴四事图横轴（局部）

图绘乾隆皇帝在行围木兰围场期间举办盛大的宴会，宴请参加行围的将士以及蒙古的王公台吉等。图中坐在华盖下的是乾隆皇帝。

星期一

十二月

今日二候虎始交

十二

农历十一月十四

根法师碑

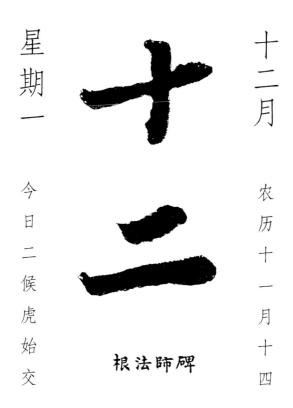

MONDAY, DEC 12, 2016

清 佚名 塞宴四事图横轴 (局部)

图绘宴饮之前乾隆皇帝谕令赐酒给来宾。作者通过刻画跪在地上的蒙古人接酒杯时爽快的样子和他们架着膀子畅饮的动作，将他们豪放的性格表现得淋漓尽致。

星期二

十二月

十

三

居彥謙碑

廿一冬至

一日元旦

农历十一月十五

TUESDAY, DEC 13, 2016

清　郎世宁　乾隆皇帝围猎聚餐图轴

　　乾隆皇帝几乎每年都要至木兰围场或南苑狩猎。每次狩猎结束后，侍从们要把猎物先呈献给他，由他根据每个人捕获猎物的多少、执勤的优劣，分别论功行赏，造册备案，然后他再与侍从们一道分食所获之物。图绘乾隆十四年（1749年），乾隆皇帝一行围猎结束后，正等待侍从扒鹿皮、烩鹿汤、烤鹿肉，享受战利品的情景。

星期三

十二月

十四

廿一冬至　一日元旦

农历十一月十六

玄林禅师碑

WEDNESDAY, DEC 14, 2016

清　佚名　万树园赐宴图轴

　　乾隆十九年（1754 年）五月，乾隆皇帝在承德避暑山庄的万树园举行隆重的宴会，热情招待厄鲁特蒙古四部之一的杜尔伯特部。图绘乾隆皇帝端坐在肩舆上，缓缓地进入宴会场地，被接见的蒙古族首领及文武官员在旁跪迎。作者真实地再现了这次民族团结的盛会。

星期四

十二月

十

五

廿一冬至 一日元旦

农历十一月十七

善才寺碑

THURSDAY, DEC 15, 2016

清 姚文瀚
紫光阁赐宴图卷（局部）

紫光阁位于紫禁城西侧的西苑中南海内。它始建于明代，清朝时是皇帝阅射和殿试武举之所。乾隆二十六年正月，乾隆帝亲自在此主持筵宴，以犒劳傅恒、兆惠、班弟、富德等平定准部、回部的各路将士和弘扬乾隆朝的武功。图绘当时赐宴时的情景。

星期五

十二月

十

六

廿一冬至 一日元旦

农历十一月十八

信行禅师碑

FRIDAY, DEC 16, 2016

清 姚文瀚

紫光阁赐宴图卷（局部）

此段绘侍从们受乾隆皇帝谕令正将刚做好的饭食分发给在座的将军、王公贵族等。受赐人员每二人一桌，分列在乾隆皇帝宝座前方的两侧，君臣在乐舞声中，饮酒作乐，共庆胜利。

星期六

今日三候荔挺出

十七

爨龍顏碑

十二月

农历十一月十九

SATURDAY, DEC 17, 2016

清 姚文瀚
紫光阁赐宴图卷（局部）

图绘从征的将士、蒙古族首领等，在丹陛下进食的场景。其场面宏大，所绘人物众多，但经过作者合理有序地巧妙安排，则动静相宜，杂而不乱。此图不失为一件既具有艺术性又具有史料价值的作品。

星期日

今日国际移徙者日

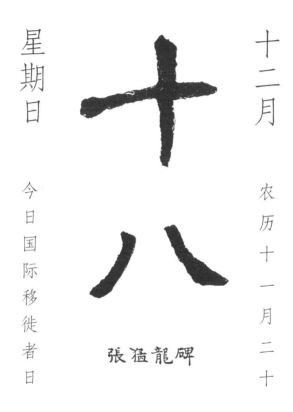

十八

张猛龙碑

十二月

农历十一月二十

SUNDAY, DEC 18, 2016

清　徐扬
平定两金川战图册之紫光阁赐宴页

　　金川位于四川金沙江流域。清政府在此实施土司制度，乾隆皇帝曾两次派兵讨伐挑起战乱的大小金川。乾隆四十二年（1777年）孟夏，乾隆皇帝为了犒赏和表彰阿桂等平定金川有功人员，在紫光阁设宴款待西征的将士，并向他们颁赐物品。图为乾隆帝乘坐由十六人抬的肩舆款款而至会场情景。

星期一

十二月

十九

农历十一月廿一

廿一冬至 一日元旦

李仲琔修孔廟碑

MONDAY, DEC 19, 2016

清　佚名
平定伊犁回部战图册之凯宴成功诸将士页

　　乾隆十九年至二十四年（1754～1759年），清军先后平定了准噶尔部的达瓦齐、阿睦尔撒纳、天山南路回部大小和卓木的叛乱。乾隆二十六年（1761年），乾隆皇帝在西苑紫光阁，为了表彰傅恒、兆惠等将士，举行了隆重的庆功宴。图绘西征将士与被邀请的满、蒙、回王公贵族，于紫光阁前跪迎乘坐肩舆而来的乾隆皇帝。

星期二

十二月

今日

国际人类团结日

澳门回归纪念日

农历十一月廿二

高 贞 碑

TUESDAY, DEC 20, 2016

清　佚名
平定廓尔喀战图册之廓尔喀使臣至京页

　　乾隆五十八年（1793年）正月，廓尔喀使臣到京，向乾隆皇帝呈进表文和贡品。乾隆皇帝给予他们热情的款待。图为乾隆皇帝在紫光阁犒劳福康安、海兰察等将士，来自廓尔喀的使臣也应邀参加盛宴。

星期三

今日冬至 一候蚯蚓结

十二月廿一

农历十一月廿三

冬至

道因法师碑

今日一九第一天

WEDNESDAY, DEC 21, 2016

清　丁观鹏　夜宴桃李园图卷

　　此图以李白《春夜宴从弟桃李园序》为题材，描绘李白与其堂弟们在桃李园"开琼筵以坐花，飞羽觞而醉月"的斗酒赋诗情景。作者生动地刻画了入夜时分宴会还在进行，文士们酒酣后的各种情态，有的尚清醒，有的则已经酩酊烂醉，他们诙谐的体态令人忍俊不禁。

星期四

十二月

廿二

一日元旦　五日小寒

农历十一月廿四

尧公颂

THURSDAY, DEC 22, 2016

清 贾全 庆祝图轴

这是一幅拟古画。图绘皇家殿宇被祥云笼罩，殿堂内外，身着汉装的帝后、皇子、臣僚、太监、宫女等欢聚一堂，喜气洋洋的景象展现了皇家与民同乐，求得天下太平的理念。全图用笔精细工整，设色明丽典雅。贾全作为乾隆朝的宫廷画家，此画从题材到手法都具有鲜明的宫廷画特色。

星期五

十二月

一日元旦　五日小寒

农历十一月廿五

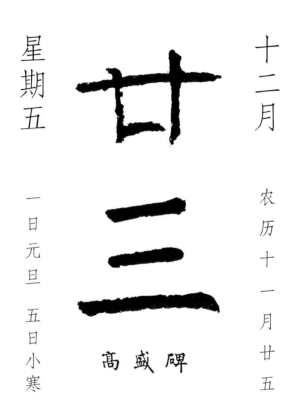

廿三

高盛碑

FRIDAY, DEC 23, 2016

清　颜峄　冬景人物图轴 (局部)

　　图绘士大夫家族和睦的家庭生活。年长者在围炉烤火，面容慈祥，童子前来跪拜，举止虔诚，一派敬老爱幼、吉年家庆的景致。画风工细写实，设色清新淡雅，皴染得法。

公历二〇一六年 · 农历丙申年

星期六

十二月

今日平安夜　明日圣诞节

农历十一月廿六

爨寶子碑

SATURDAY, DEC 24, 2016

清　佚名　罗聘昆仲竹林像图卷

　　据卷后诸家题跋所记，此图绘扬州著名画家罗聘兄弟子侄六人在京城家中竹园聚会的场景，属于"家庆图"。人物穿插于竹丛及湖石之间。有"君子"之称的竹石既是画卷中的衬景，也暗喻着罗氏兄弟具有虚静的胸怀和清雅出尘的品格。

公历二〇一六年·农历丙申年

十二月

廿五

星期日

农历十一月廿七

今日圣诞节

一日元旦

同州聖教序

SUNDAY, DEC 25, 2016

清　魏居敬　雅集图卷

图绘早春时节文士们围坐在一起品茶论道的情景。此图通过自然景色和人物活动的描绘，营造出一种宁静闲适、乐天自在的逍遥意境，反映了文士们屏绝尘累、不涉世事的生活理想。

星期一

廿六

十二月

今日二候麋角解

农历十一月廿八

樊興碑

MONDAY, DEC 26, 2016

清 闵贞 曹慕堂家庆图轴（局部）

　　乾隆四十四年（1779年）中秋节，在位于北京南部的翔鹤堂内，因仕途受阻的曹慕堂（名学闵，字孝如），沉浸于和美的全家团聚的氛围中。从题记可知，参加家庆的成员有曹慕堂夫妻、两个儿子及四个孙子。作者通过细致入微的人物刻画，反映了乾隆时期文官的家庭生活，体现了妻贤子孝美满幸福的传统家庭理念。

星
期
二

十
二
月

田公德政碑

一
日
元
旦

五
日
小
寒

农
历
十
一
月
廿
九

TUESDAY, DEC 27, 2016

清 任颐 丹桂五芳图轴

此图绘五代后晋的贤士窦禹钧与其五个儿子，即仪、俨、侃、偁、僖在粗壮的桂花树下，研讨传教的画面。窦氏教子有方，在他的督导下其五子先后考中进士，成为世人美谈。人物神情刻画得当，既表现出窦氏手持木棍的严父形象，又表现出他任由幼子嬉闹的慈父神态，是任颐三十八岁时的人物画佳作。

星期三

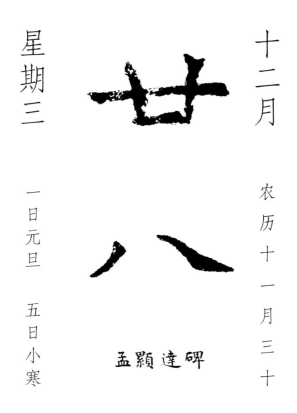

孟颢達碑

十二月

农历十一月三十

一日元旦

五日小寒

WEDNESDAY, DEC 28, 2016

清 吴谷祥 怡园图册之夜宴

图绘「挑灯雪夜寒开宴」的诗意。作者以清丽娟秀的笔墨，刻画了五位志同道合的文人在雪夜相聚一堂、围桌宴饮的场景。他们在用彼此之间深厚的友谊抵御着恶劣的气候，用彼此之间温暖的友爱照亮着彼此的心。

星期四

十二月

一日元旦　五日小寒

农历腊月初一

廿

九

西廟堂碑

THURSDAY, DEC 29, 2016

清　王云　夜宴桃李园图轴

　　图绘桃花盛开的春季里，五位文士围着长条案桌而坐，桌上不仅摆有佳肴、美酒，还有笔墨纸砚。文人们一边饮食，一边商讨诗文，其乐融融。此图描绘的是唐代著名诗人李白和其诸弟雅集的情景，规定席间各赋新诗，作不出来者要罚酒三杯，以示善意的惩罚。

公历二〇一六年·农历丙申年

星期五

廿

日

十二月

农历腊月初二

一日元旦　五日小寒

嵩高霊廟碑

今日二九第一天

FRIDAY, DEC 30, 2016

清 佚名 丰年家庆图轴

　　这是一幅真实地反映江南民俗活动的风俗画。图绘新年伊始，百姓关门谢客、阖家团聚吃年饭的场景。他们推杯换盏，以庆祝一年辛勤所换来的丰收，同时企盼来年风调雨顺、吉祥如意。

星期六

十二月

廿

今日三候水泉动

农历腊月初三

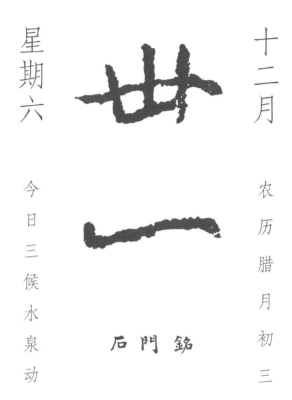

石門銘

SATURDAY, DEC 31, 2016

文物索引

一月　封侯纳祥

二月　普天同贺

清　乾隆皇帝　乙亥岁朝图轴
清　乾隆皇帝　丙子岁朝图轴
清　乾隆皇帝　癸未岁朝图轴
清　乾隆皇帝　甲申岁朝图轴
清　乾隆皇帝　壬子岁朝图轴
清　丁观鹏、郎世宁等　乾隆皇帝雪景行乐图轴

第8周（14～20日）

清　丁观鹏、郎世宁等　乾隆皇帝岁朝行乐图轴
清　佚名　乾隆皇帝岁朝行乐图轴
清　佚名　乾隆皇帝古装行乐图轴
清　佚名　万国来朝图轴
清　佚名　万国来朝图轴（局部）

第9周（21～27日）

清　顾洛　岁朝图轴
清　佚名　乾隆皇帝元宵行乐图轴
清　马昂　元日题诗图轴
清　史汉　元日题诗图轴
清　王素　岁朝戏婴图轴
清　颜峄　岁朝图轴
清　管希宁　元宵同乐图轴

第10周（28～29日）

清　福贵　岁朝图轴
清　宋葆淳　九日宴集图轴

三月　升平庆演

第10周（1～5日）

清　佚名　戏剧图册之三岔口页、双包案页、宇宙锋(峰)页、下河东页、乾坤带页

第11周（6～12日）

清　佚名　戏剧图册之庆阳图页、捉放页、拿花蝴蝶页、恶虎村页、醉与贝、艳阳楼页、探母页

第12周（13～19日）

清　佚名　戏剧图册之御果园页、彩楼配页、青石山页、断后页、拾玉镯(琢)页、戏妻页、翠屏山页

第13周（20～26日）

清　佚名　戏剧图册之玉堂春页、夜战页、借赵云页、桑园寄子页、穆柯寨页、七星灯页、骂曹页

第14周（27～31日）

清　佚名　戏剧图册之打金枝页、取洛阳页、庆顶珠页、二进宫页、四杰村页

四月　歌舞升平

第14周（1～2日）

五代　顾闳中(传)　韩熙载夜宴图卷（局部）
五代　阮郜　阆苑女仙图卷（局部）

第15周（3～9日）

五代　胡瓌　卓歇图卷（局部）

宋　马远　踏歌图轴
元　佚名　农村嫁女图卷(局部)
明　郭诩　琵琶行图轴
明　吴伟　歌舞图轴
明　周臣　明皇游月宫图扇面
明　张宏　击缶图轴

第16周（10～16日）

仇珠　女乐图轴
明　陈洪绶　弹唱图轴
清　佚名　雍正皇帝十二月行乐图之十月图轴
清　佚名　行乐图玻璃画
清　冷枚　十宫词意图册之汉宫页
清　周鲲　村市生涯图册之说唱页
清　金廷标　盲人说唱图轴

第17周（17～23日）

清　姚文瀚　七夕图轴
清　喻兰　仕女清娱图册之舞剑页
清　刘彦冲　听阮图卷
清　张恺等　普庆升平图卷(局部)

第18周（24～30日）

清　张恺等　普庆升平图卷(局部)
清　佚名　婴戏图册之舞狮页
清　任熊　姚大梅诗意图册之歌舞页、飞天页
清　任颐　公孙大娘舞剑图轴
清　任颐　小红低唱图轴

五月　钧乐天听

第19周（1～7日）

唐　陆曜　六逸图卷之吹箫
五代　顾闳中(传)　韩熙载夜宴图卷(局部)
宋　赵佶　听琴图轴
宋　佚名　杂剧图页
元　王振鹏　伯牙鼓琴图卷

第20周（8～14日）

元　周朗　杜秋像图卷
明　仇英　人物故事图册之贵妃晓妆页
明　张路　吹箫女仙图轴
明　张路　停琴高士图轴
明　程嘉燧　芦艇笛唱图扇面
明　陈洪绶　听琴图轴
明　士中　李流芳像图轴

第21周（15～21日）

清　高简　友琴图卷
清　石涛　对牛弹琴图轴
清　禹之鼎　月波吹笛图卷
清　王树毂　弄胡琴图轴
清　佚名　雍正皇帝行乐图册页
清　佚名　乾隆皇帝观荷抚琴图轴

第28周（3～9日）

晋　顾恺之　列女图卷（宋摹　局部）

唐　阎立本　步辇图卷（摹本　局部）

唐　周昉（传）　挥扇仕女图卷（局部）

第29周（10～16日）

宋　佚名　女孝经图并书卷（局部）

明　唐寅　王蜀宫妓图轴

清　冷枚　十宫词意图册之吴宫页、楚宫页、魏宫页

第30周（17～23日）

清　冷枚　十宫词意图册之晋宫页、隋宫页、唐宫页

清　佚名　雍正皇帝行乐图轴

清　金廷标　簪花图轴

清　金廷标　婕妤挡熊图轴

第31周（24～30日）

清　丁观鹏　宫妃话宠图轴

清　佚名　乾隆皇帝妃古装像轴

清　佚名　塞宴四事图横轴（局部）

清　佚名　孝慎成皇后观莲图轴

清　佚名　孝慎成皇后观竹图轴

清　佚名　英嫔春贵人乘马图轴

清　佚名　孝贞显皇后璇闱日永图轴

第32周（31日）

清　佚名　孝贞显皇后像轴

八月　悠然雅集

第32周（1～6日）

五代　周文矩　文苑图卷（宋摹）

宋　马和之　后赤壁图赵构书赋卷（局部）

宋　佚名　会昌九老图卷（局部）

明　佚名　五同会图卷（局部）

明　文徵明　东园图卷（局部）

明　文徵明　惠山茶会图卷（局部）

第33周（7～13日）

明　佚名　十同年会图卷（局部）

明　仇英　兰亭修褉图卷（局部）

明　仇英　兰亭图扇面

明　仇英　人物故事图册之松林六逸页、竹园品古页

明　王允安　兰亭图卷（局部）

明　尤求　品古图轴

第34周（14～20日）

明　陈洪绶、华嵒　西园雅集图卷（局部）

明　郑重　品古图扇面

清　佚名　雍正皇帝十二月行乐图之
　　　　　三月、四月、九月、十月图轴（局部）

清　姚文瀚　勘书图轴

第35周（21～27日）

清　冯宁　西园雅集图扇面

清　沈时　兰亭修褉图卷（局部）

百年前帝制终结、民智初开，公众对宫墙内的一切充满好奇。

一九二五年故宫博物院的建立，标志着曾为天子独占的内府珍藏成为公众分享文化积淀的共同遗产。故宫先贤在整理、研究藏品的同时，也努力通过出版物介绍故宫藏品、推动文化传播。

一九三三年至一九三七年版《故宫日历》，由故宫前辈冯华先生编纂，连续出版，每年一册，作为赏用兼宜的普及性艺术读物，广受欢迎，风靡一时。惜因战乱戛然而止。七十年代，台北故宫博物院曾依旧制选取院藏文物编纂《故宫日历》，亦持续数年即止。

民国时期的《故宫日历》

二〇〇九年末，故宫出版社（原紫禁城出版社）以一九三七年版为蓝本恢复出版《故宫日历》，标志着遗忘经年的它重又回来。古朴隽永的碑拓集字，耳目一新的内容编排和版式设计，再次取得读者认可。《故宫日历》为故宫向公众介绍古代艺术、普及传统文化作出了新的努力。

新版《故宫日历》

编纂说明

◎ 书名《故宫日历》在内文中统一使用简化字，封面、书脊沿用一九三五年和一九三七年版《故宫日历》所用《史晨碑》汉隶集字。秦汉时期通用《故宫日历》字，《史晨碑》中便有「歷」而无「曆」。后分化出「曆」字专表「历法」之意，但仍可以本字「歷」代引申字「曆」。清代文字学家段玉裁在《说文解字》注「歷」「曆」即有注曰：「引申为治曆时之曆」。「曆」在汉唐之间常写为「歷」，后被视为标准字形「歷」的异体字。《故宫日历》采用民国时期风行的汉隶集字并忠实于《史晨碑》原作，合乎集字规矩。

◎ 日期继续沿用一九三七年版《故宫日历》碑拓集字。此外，传统节日、二十四节气亦采用碑拓集字，并延用上一年度所集褚遂良、欧阳询、颜真卿等名人书迹。

◎ 七十二候名称，以上海辞书出版社二〇〇九年版《辞海》词条「七十二候」为依据。

◎ 封面集字考证得到施安昌、王素、王连起、刘雨等先生指教，新增集字工作得到尹一梅、秦明、王祎等同仁帮助，在此诚致谢意。

◎ 全书全部选取故宫博物院藏品。均为故宫博物院资料信息部供图。

◎ 欢迎读者提出意见、建议，以期改进。来函请寄：

100009 北京市东城区景山前街四号
故宫出版社 文化旅游编辑室

新浪微博：
@故宫博物院
@故宫文化旅游编辑室

微信公众平台：微故宫
服务号：故宫出版社
订阅号：故宫珍赏